本书由南京水利科学研究院 2004 年度出版资金资助出版

U0265749

水利工程与生态环境(1)

——咸海流域实例分析

杨立信　编译

刘　恒　审校

黄河水利出版社

图书在版编目(CIP)数据

水利工程与生态环境(1)——咸海流域实例分析／
杨立信编译. —郑州：黄河水利出版社，2004.11
ISBN 7–80621–858–0

Ⅰ.水⋯　Ⅱ.杨⋯　Ⅲ.咸海–流域–水利工程–影响–
生态环境–研究　Ⅳ.X171.1

中国版本图书馆 CIP 数据核字(2004)第 115087 号

策划组稿　余甫坤　　　　0371-6024993　　　yfk@yrcp.com

出 版 社:黄河水利出版社
　　　　　地址:河南省郑州市金水路 11 号　　邮政编码:450003
发行单位:黄河水利出版社
　　　　　发行部电话及传真: 0371-6022620
　　　　　E-mail: yrcp@public.zz.ha.cn
承印单位:黄河水利委员会印刷厂
开本:850 mm×1 168 mm　1／32
印张:5.375
字数:159 千字　　　　　　　　印数:1—2 000
版次:2004 年 11 月第 1 版　　　印次:2004 年 11 月第 1 次印刷

书号:ISBN 7–80621–858–0／X・14　　　　定价:16.00 元

前　言

众所周知，我国西北地区水资源问题比较严峻，特别是西北的内陆河流域，水资源短缺成为该地区经济社会发展的制约因素。党和国家非常重视西北地区水资源可持续利用问题，几十年来，先后组织了四期国家重点科技攻关项目。特别是"九五"国家重点科技攻关项目"西北地区水资源合理开发利用与生态环境保护研究"，国家组织了大量的人力物力，针对西北地区生态环境极端脆弱的特点，把水资源与经济、生态三者联系起来统一研究，取得了令世人瞩目的科研成果。相信这些开拓性的创新成果将为西北地区的水资源可持续利用和社会经济可持续发展奠定坚实的基础。我们坚信西北地区定能出现人与水、人与自然和谐相处，生态从"恶"变"良"，自然环境良性平衡发展的局面。西北地区一定能实现党的十六大提出的"可持续发展能力不断增强，生态环境得到改善，资源利用效率显著提高，促进人与自然的和谐，推动整个社会走上生产发展、生活富裕、生态良好的文明发展道路"的奋斗目标。

与我国西北地区隔山相望的咸海流域却有很大的不同。咸海流域水资源的大规模开发利用从 20 世纪 30 年代开始起步，其间因第二次世界大战而停滞十多年。在 20 世纪 50 年代中期到 80 年代初，随着大规模水利工程建设的展开，咸海流域的经济发展取得了前所未有的成就。然而，好景不长，由于农业灌溉过量使用水资源，使得原本流入咸海的淡水枯竭，导致咸海水位大幅度下降，进而引发始料不及的生态危机。工农业生产从 80 年代中期开始逐渐回落，直至 90 年代中期跌落到低谷，进入 21 世纪，中亚各国的经济才开始稍有起色。回顾咸海流域经济社会发展，实际上是经历了"发展—因二战而停滞—跨越式发展—衰退—跌落到低谷—开始走出低谷"的过程。

为了在我国的水利工程建设中能充分汲取国外水工建设在生态环

境方面的经验和教训，南京水利科学研究院科技信息中心有关人员从 2002 年开始进行"水利工程与生态环境：国内外典型实例分析"的专题信息研究，先后收集了数千份中、外文资料，通过资料分析研究、去伪存真、去粗取精，计划编译两本专题资料。现已完成《水利工程与生态环境(1)——咸海流域实例分析》一书的编译工作。我们力求比较客观、全面地介绍咸海流域水资源开发利用的现状、社会经济效益、对自然生态环境的影响以及今后的发展动向，藉此为我国的水利工程提供一些有价值的参考资料，为国家建设、特别是为我国西北地区的水利工程建设尽些微薄的力量。

近几年来，咸海流域因水资源短缺而造成的生态灾难太大，引起了世界各国的广泛关注。许多国际机构都专门派出专家组到中亚国家考察和了解咸海流域的生态问题，并写出专题报告，其中主要有：世界银行 2003 年 2 月发表的题为《中亚的灌溉——社会、经济和生态视点》调查报告，联合国教科文组织 2000 年 3 月编写的《咸海流域长期水构想》，联合国经济及社会理事会编写的《中亚水资源诊断报告》，联合国粮农组织编写的《苏联国家的灌溉发展》，联合国环境规划署的多篇报告等。这本小册子是根据以上资料以及所收集到的近千篇书刊文献资料编译成的。全书由国际水文计划政府间理事会副主席、南京水利科学研究院副院长、教授级高级工程师刘恒先生审校并最终定稿；此外，在编译过程中南京水利科学研究院河港所喻国华教授多次提出了宝贵的建议，在此一并表示诚挚的谢意。

有关咸海流域水利工程与生态环境的信息资料非常丰富，但因其出处和报道的年代不同，原作者看问题的角度不同，因此同一问题常常出现不同的观点和不同的数据。本书编写中高度重视这方面的问题，力求在充分比较、反复鉴别的基础上确定更符合客观实际的观点和数据。但由于资料庞杂，编写时间仓促，难以面面俱到，疏漏和谬误在所难免，书中的内容和数据可能有错误或不够准确之处，恳请读者对本书的缺憾给予批评指正。

编译者

2004 年 9 月

目　录

第一章 绪 论

1.1 概况

咸海位于中亚的荒漠地带，地处乌兹别克斯坦和哈萨克斯坦两国交界处的图兰平原。这一独特的内陆湖是因为其面积大而被称为"海"。1961 年咸海接近多年平均水位 52.71 m 时[1]，最长 428 km、宽 235 km、面积 6.69 万 km^2（包括 313 个岛屿，面积 2 345 km^2）。咸海尽管面积较大，但水却不深，位于西部沿岸凹槽的最大水深 68 m，而东南部绝大部分为平坦的浅水区，水深不足 25 m，整个咸海平均水深 16.16 m，因此咸海的水量只有 10 510 亿 m^3。咸海在面积上是中亚沙漠中心的最大水面，曾是世界第四大湖泊，仅次于里海、苏必利尔湖和东非的维多利亚湖。

咸海本身无径流，补给咸海水源的是集水面积共 183 万 km^2 的锡尔河和阿姆河。在 1960 年以前[2]，阿姆河和锡尔河每年流入咸海的水量平均为 500 亿 m^3，使咸海水面高程基本稳定，但同时带来约 1.1 亿 t 泥沙，堆积在河口的泥沙形成逐渐向海中推进的三角洲。而在各支流的三角洲中有几十个小湖，生态丰富的沼泽和湿地遍及 55 万 hm^2[3]。咸海的年水位变化取决于来水量，变化不大，年平均为 25 cm。其原因是咸海的最大来水量的时间（每年夏季的几个月份）正好与其最大的水面蒸发损失的时间相重合。1961 年以前，咸海的水位基本稳定。近 200 年（至 1908 年）内，其下落都没有低于 50 m 高程，且只在 19 世纪 30 年代中期和 19 世纪末期曾达到此水位。平常年份，咸海海面观测到波漾，波高平均为 24 cm。咸海每年只在东北部结冰，且结冰期长达 140~160 天，而其余部分的冰情受到岸冰的限制，只是浅水海湾有时被冰覆盖。1960 年以前，咸海水的矿化度未超过 10 g/L，也就是说，咸海虽是咸水，但有极好的生物系统，此系统能保证水自动净化和极丰富的动植物生存，其水体供给当地渔业养殖，年捕捞量 4 万 t。

给咸海补水的锡尔河和阿姆河分别发源于帕米尔高原和天山山脉，它们自天山、帕米尔高原滚滚而下，贯流整个中亚，它们各自走了两千多公里，穿过严酷的红沙漠、黑沙漠，最后一南一北注入咸海，沿途流经 7 个国家。流域的大部分位于哈萨克斯坦南部、吉尔吉斯斯坦南部、土库曼斯坦的绝大部分、塔吉克斯坦和乌兹别克斯坦全境，还有少部分位于阿富汗和伊朗的领土上。锡尔河和阿姆河是中亚人民的命脉，历史上，亚历山大、玄奘、成吉思汗、突厥人、波斯人、蒙古人、中国人、阿拉伯人，多少传奇故事在两条河川之间轮番上演。

咸海流域的范围分为两大区域：即其西部和西北部是图兰平原，东部和东南部是天山和帕米尔山脉的高山区。它包括阿姆河流域和锡尔河流域，再加上咸海西北部的沿岸地区(图 1-1)，总面积为 238.6 万 km^2。

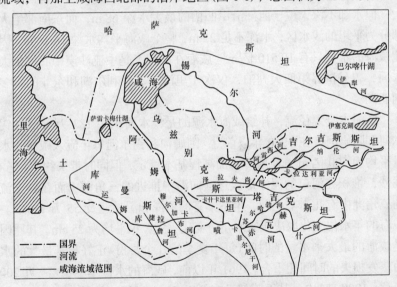

图 1-1   咸海流域示意图

咸海流域地貌形态以沙漠和草原为主[4]，荒漠、半荒漠和草原占据从里海到天山山地之间的巨大面积。阿姆河和捷詹河之间的卡拉库姆沙漠(35 万 km^2)和阿姆河与锡尔河之间的克孜勒库姆沙漠(30 万 km^2)是中亚最大的沙漠，地势平坦，海拔均在 300 m 以下，大部分为沙垄、龟裂地，间有闭塞的洼地和孤山。该区极度干旱、贫瘠、缺少植被，如克孜勒库姆沙漠东南部就被称为"饥饿草原"。在北部台地、丘陵与南部沙漠之间的是别克帕克达拉草原，其地貌处于草原、半荒漠、荒漠的过渡地带。撒在荒漠中的绿洲，拥有丰富的栽培植被，它的翠绿色彩在荒漠灰黄底色衬托下显得格外赏心悦目。20世纪50～70年代，苏联在咸海流域开垦了大片荒地，使那里出现了大片农田和村镇。

咸海流域地处欧亚大陆腹地，尤其是东南边高山阻隔印度洋、太平洋的暖湿气流，使该地区气候为典型的大陆性气候。其突出的特征是：第一，雨水稀少，极其干燥。一般年降水量在300 mm以下，咸海附近和土库曼斯坦的荒漠年降水量仅为75～100 mm，而山区年降水量为1 000 mm，费尔干纳山西南坡甚至可达2 000 mm，但山地中也有雨量少于沙漠的地区，如帕米尔的年降水量仅60 mm；第二，日光充足，蒸发量大。经过科学测试，在中亚北纬40°地方夏季所获阳光照射量并不逊于热带地区。空气极其干燥和高温引起大量的蒸发，阿姆河三角洲水面的年蒸发量达1 798 mm，即比这里的降水量大21倍；第三，温度变化剧烈。许多地方白天最高气温与夜晚最低气温之间可相差20～30℃。在帕米尔高原则有日温差40℃的记录。在盛夏7月，除山区外平均气温一般在26～32℃之间，而在隆冬1月，平均气温由北端的-20℃向南端的2℃过渡。

咸海形成于300万年前[5, 6]。这个内陆水域很可能开始时只是一个小水池，池水由来自周围领土的盐水汇集而成。水分完全蒸发之后，形成盐层，促使土壤疏松，风蚀加剧。定期的沙尘暴吹走了疏松的土壤，加深加宽了这个空洞。古老的阿姆河及其支流在史前时期是流向里海的，后来随着时间的推移逐渐改变了路线，向北途经卡拉库姆沙漠流向咸海萨雷卡梅什盆地。随着天山的增高，锡尔河上游从一个盆地流向另一个盆地。后来又取道费尔干纳山谷和饥饿草原，到达咸海盆地。大约9 000年前，由于气候湿润、多雨，两条河流都开始流向咸海盆地。后来咸海水流溢出，途经乌兹博伊河流入里海。大约3 500年前气候开始变得干燥，又过了500年左右，咸海水流就完全不再途经乌兹博伊河流向里海了。有研究者认为乌兹博伊河的断流，同阿姆河的河水流入萨雷卡梅什盆地一样，是人类行为的结果。现已证明，阿姆河于1573年改变了原来流向萨雷卡梅什的路线，开始流入咸海。阿姆河的河水一经流向咸海，就迅速注满了它，甚至淹没了周围岸堤上的岩生灌木丛。

公元 4 世纪，咸海水位显著下降，达到海拔 30～32 m 的高程。这仍然是人类行为的结果。古时候，花拉子模的人民就能控制阿姆河的流经路线，将其引入萨雷卡梅什湖、咸海，也许同时还引入两盆地。如果咸海盆地在其历史过程中不曾有过一个如此发达的灌溉系统，现在咸海应该更大，也许它已经与萨雷卡梅什湖连成一片并流入里海了。这里的第一条人造灌溉渠道出现于数千年以前，当时的灌溉面积有 450 万～500 万 hm²。公元前 4～5 世纪，花拉子模变成一个大国[7, 8]，这里的干渠长 100～150 km，宽 10～30 m，深 2～3 m。整个渠系为以下结构：河流—首部取水构筑物—干渠——一、二级配水渠—毛渠—田野。这些渠道的灌溉面积为 370 万～380 万 hm²，到了 15 世纪，这一数字缩减到 240 万 hm²。灌溉面积的显著减少使咸海注入水量增加了 1.5 倍，水位由此逐渐升高，水面扩大到近代的规模。

从以上所述可见，地处干旱沙漠的中亚咸海流域[9]，其早期的经济活动，不论是游牧生存还是定居发展，都与水源密切相关。花拉子模、费尔干纳、布哈拉、萨马尔罕——这一个个古代文明的形成和发展首先是与灌溉文化的发展紧密相连的。国家在变迁，名称在变换，一些人消失了，另一些人又来了，一种宗教信仰变成另一种宗教信仰，语言交融了，风俗、习惯、传统发生了变化。只有一样没变，那就是一代一代中亚人传承下来的对水的忐忑不安的敬畏和珍爱的态度。多少世纪以来，这种认知融入到中亚人的血液中。当地人有句名言："立命在水不在土。"历史上部族间的争斗流血，时常就是为了水。历代的统治者都把水的管理放在重要的位置，形成了"惜水如命"的传统，也积累了节约用水的丰富经验。安息国首府尼萨等一些古城和农业区，大都是在一些小河畔发展起来的，因为这里不像大河有汛期泛滥，也无须修大的干渠；坐落在洪积扇前缘的水浇地，都有一定坡度，构成天然的排水条件，不会形成次生盐渍化的危险。有的古国也地处大河流域，例如花拉子模绿洲即在阿姆河下游三角洲上，这里地势平坦，水势平稳，公元前 7 世纪进入奴隶社会，公元 5～6 世纪又成为中亚最大的封建氏族农业中心。花拉子模绿洲上下几千年的农业文明史都与农田水利有关。

进入 20 世纪后，世界发生了很大变化，苏联也不例外，中亚的变化更是惊人。20 世纪 50 年代，咸海流域的农业仍是一派兴旺景象。被称做"疯癫之水"的阿姆河，用饱含泥沙的河水肥沃了这里的农田，培育着各种各样的传统作物，使当地的人民过着富足的生活。然而好景不长，随着苏联的解体，还是这种"疯癫之水"困扰着中亚人民，使他们的生活水平明显下降了一个台阶。

1.2　咸海流域内的河流

咸海流域所有的河流都没有通向大洋的出口，河水除了被引走用于灌溉外，或者消失于荒漠，或者注入于内陆湖泊。流域内最重要的河流是阿姆河和锡尔河，此外还有泽拉夫尚河、卡什卡达里亚河、捷詹河、穆尔加布河、塔拉斯河、楚河和伊塞克湖等。

1.2.1　阿姆河[2, 10~13]

阿姆河是中亚最大、水量最充沛的大河，发源于阿富汗与克什米尔地区交界处兴都库什山脉北坡、海拔约 4 900 m 的维略夫斯基冰川，源头名瓦赫集尔河。瓦赫集尔河的下游称瓦罕河。瓦罕河与帕米尔河汇合后叫喷赤河。喷赤河北流后又大转弯，抵达答尔瓦查山脉的山脚，又折向南与瓦赫什河相汇后向西北流淌，进入土库曼斯坦后始称阿姆河。干流继续向西北流经阿富汗、土库曼斯坦、乌兹别克斯坦等国，最后汇入咸海。

阿姆河干流全长 1 657 km[2]（这个数值是根据中亚流域管理局的数据取得的）。如果由喷赤河河源算起，到咸海则全长为 2 574 km[13]。流域总面积为 101.78 万 km²。

阿姆河自河口到努库斯被称为河口三角洲段。三角洲是个汊流纵横交错的冲积平原，到 20 世纪 70 年代中期，其面积曾达到 9 000 km²。现在对三角洲来说，其面积在减少，由于从上游端开始的三角洲河汊逐渐消亡，三角洲沿着主河槽向咸海延伸，而且在河口区取代河汊而形成浅水沙洲，这是河流径流的变化和泥沙堆积现象造成的。在汛期，饱含泥沙的水进入咸海，形成三角洲的前段和取代河汊的拦门沙。在东北风作用下，河流带来的悬沙加强了在拦门沙区域的淤积，而不进入深海，从而使河汊消亡，且因缺水而渐渐干涸，变成无边无际的荒漠。

阿姆河自努库斯到 1 502 km 处的苏尔汉河口没有支流，属于平原河流。但是，它与其他平原河流有很大的不同，其主要特点是平均比降比较大，变化在 11 ~ 56 cm/km，平均为 25 cm/km，这大大超过平原河流的比降。因此，河流流速比较大。其次，这一段的河床是由细颗粒的疏松冲积岩组成的，这个特点就决定了河床的两个特点：一是透水性比较大，大量的水都渗漏掉了；二是河床变形比较发达，水的含沙量大，加上从上游支流带进阿姆河的泥沙和从邻近的荒漠中大风刮进来的泥沙就更加剧了这个过程，结果形成极不稳定的河床。具体地说，从克尔基城到伊尔吉克峡谷，阿姆河河谷的宽度变化在 4 ~ 25 km之间，河谷的缓斜坡无形中与周围的地形连成一片。在伊尔吉克与秋雅穆云峡谷间，河流穿流于主要由砂层与第三纪松脆砂岩组成的基岩中。河谷具有高 10 ~ 20 m 的陡坡。在秋雅穆云峡谷以下，阿姆河谷扩展到几十公里，到珠木尔套与塔希峡谷汇合后才变窄。

自苏尔汉河河口到河源属于山区河流，是河流径流形成和河水的完全补给区。这个区域河系非常发达(见图 1-2)，一系列比较大的河流在这里汇入阿姆河，变成阿姆河的支流(见表 1-1)。

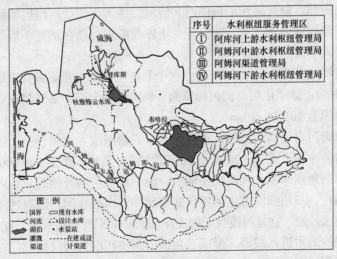

序号	水利枢纽服务管理区
Ⅰ	阿库河上游水利枢纽管理局
Ⅱ	阿姆河中游水利枢纽管理局
Ⅲ	阿姆河渠道管理局
Ⅳ	阿姆河下游水利枢纽管理局

图 例
--- 国界
〈 河流
▬ 湖泊
灌溉渠道
━ 现有水库
━ 设计水库
· 水泵站
--- 在建或设计渠道

图 1-2 阿姆河流域水系

表 1-1　阿姆河一些大型支流的特性[10]

支流名称	在阿姆河的位置	离河口的距离(km)	河流长度(km)	积水面积(km²)	平均流量(m³/s)
喷赤河	左岸	1 657	921	114 000	1 000～1 050
瓦赫什河	右岸	1 657	524	39 190	680
苏尔哈勃河	左岸	1 643	404	36 050	
卡菲尔尼干河	右岸	1 614	387	11 600	190
苏尔汉河	右岸	1 502	275	13 500	120
希拉巴德河	右岸		171	8 780	7.5

阿姆河河谷在由喷赤、瓦赫什两河汇流处到克尔基城一段呈弧形扩展，河漫滩覆盖茂密的芦苇丛，并有许多湖泊与沼泽。

喷赤河几乎全程穿流于深山峡谷之中，形成很多石滩与瀑布。在瓦赫什河汇流处以上 200 km 处，喷赤河的河谷扩展，流速减小。该河在下游分出两条汊流，形成一个 50 km 长、近 15 km 宽、多沼泽的乌尔塔土盖伊岛，岛上长满芦苇丛。喷赤河主要支流来自右岸，如贡特河、巴尔塘河、亚兹古列姆河、万奇河及基泽尔河等。由左岸注入的支流很少，只有科克恰河。

瓦赫什河是组成阿姆河的第二条河流，是由克泽尔河与牟克河汇合而成。牟克河源自费德钦珂冰川，克泽尔河与牟克河汇流后，称苏尔霍布河；在惟一的左岸大支流鄂毕兴高河注入后，才叫做瓦赫什河。瓦赫什河上游大多穿流在深山峡谷中，最后 150 km 才流动在满布棉田的宽阔河谷中。瓦赫什河的河槽分成许多汊流。瓦赫什河总落差 835 m，多年平均径流量 680 m³/s，径流主要由融雪和冰川补给，5～9 月的径流量占全年径流量的 77%。

阿姆河的主要补给来自高山区的多年积雪和冰川，雨水补给对河流径流的作用不大。地下水补给在该流域内占重要地位，常常超过年径流量的 30%。另外，流域的高度对径流的年内分配也有很大的影响。这是因为山中积雪不是同时在全部集水区内融化，而是在各个高度带依次融化：首先在低的地带，然后逐步转移到最高地带。阿姆河流域径流的年内分配特征是多峰式的，极不均匀，汛水延续很长时间(约6个月)。流域下游由于季节性积雪融化而引起的春汛开始于3月，延续到6月底。4~9月的径流一般占77%~80%，亦即在全年最热的时候，有永久积雪与冰川融化而引起的主要洪峰通过。夏季汛水一直延续到9月，而在10月到次年2月为冬季平水期，其径流量只占10%~13%。克尔基城附近的最大流量通常发生在7月；年最小水流往往在1~2月，偶尔也会在3月。

阿姆河流域的水情特点是，在平常年份，其年均最大流量是在克尔基城，而往下游的1 226 km流量逐渐减少。例如，河源的平均流量为1 750 m^3/s，到克尔基城增加到1 990 m^3/s，而到河口减少到1 300 m^3/s至几十立方米每秒，有时甚至断流。这是由于在克尔基城以下取水灌溉、蒸发和渗流损失的结果。

阿姆河流域的悬移质泥沙含量在中亚河流中居于前列。阿姆河的年平均含沙量在克尔基城附近大约为3.6 kg/m^3，最大平均达到13 kg/m^3；往下由于流速减小，泥沙在河床的淤积增大，水的含沙量减少，在塔什萨克为3.38 kg/m^3，而到努库斯约为2.60 kg/m^3。瓦赫什河的含沙量大约为4.24 kg/m^3。5月悬移质泥沙含量达最高值，从6月起其数量减少，在11~12月达到最低值。沿河而下，含沙量通常大大增加。阿姆河在克尔基城附近一年内的输沙量2.17亿t，泥沙顺流而下，沉积在河谷中。阿姆河带到咸海里去的泥沙大约为克尔基城附近输沙量的11%。

阿姆河径流的特点是自然调节程度很低，这给经济利用造成了困难。为了充分利用水资源，阿姆河上修建了大量的水库，其中最主要的是努列克水库和秋雅穆云水库(已建成)以及正在续建的罗贡水库，这几座水库都是属于调节跨国水量再分配和平衡水量的季调节水库。此外还有一系列流域内的水库和河系内的水库。在河流的上游直接从河流中取水灌溉塔吉克斯坦、乌兹别克斯坦和吉尔吉斯斯坦的土地；在中游修建了世界著名的调水工程——卡拉库姆运河以及卡尔希灌渠和阿姆布哈尔灌渠，而且在这些运河和渠道中还修建了水库；在下游沿河两岸，渠道更是像蛛网一样的纵横交错，抽吸着阿姆河的乳汁，哺育着中亚人民。

1.2.2 锡尔河[2, 10~12, 14]

锡尔河有两条河源，右源纳伦河和左源卡拉达里亚河。河流由东向西流，在纳曼干东大约 20 km 处与卡拉达里亚河相汇后称锡尔河。干流先向西南流，至别卡巴德转向西北，最后在新霍皮奥尔斯克大约 75 km 处汇入咸海。河流先后流经吉尔吉斯斯坦、乌兹别克斯坦、塔吉克斯坦、哈萨克斯坦 4 国，最后穿行于克孜勒库姆沙漠而进入咸海。干流长 2 212 km，流域面积 48.45 万 km²。

锡尔河是中亚最长的河流，全长 3 019 km（含上游纳伦河），发源于天山和帕米尔阿尔泰山的西部。锡尔河同阿姆河和其他中亚河流一样，也分为山区流域和平原流域，其山区流域面积为 21.9 万 km²，而平原流域为 24.3 万 km²；山区流域是径流生成和补水区，而平原流域是径流的消散区，亦即实际上不是河流的集水面积。

由河源至费尔干纳盆地出口是锡尔河的上游。锡尔河在费尔干纳河谷中绝大部分都是单河槽的河流，河宽 300 m 左右，穿行于低矮的沙质河岸。锡尔河上游有较发达的河系，许多较大的支流汇入锡尔河（见表 1-2）。上游平均流量为 600 ~ 700 m³/s。

表 1-2　锡尔河一些大型支流的特性[10]

支流名称	在锡尔河的位置	离河口的距离 (km)	河流长度 (km)	集水面积 (km²)	平均流量 (m³/s)
纳伦河	右岸	2 212	807	59 110	434
卡拉达里亚河	左岸	2 212	352	30 100	270
奇尔奇克河	右岸	1 748	174	14 240	240
阿雷西河	右岸	1 360	339	14 520	65
索赫河			94	3 270	43
安格连河			236	7 710	43

流域内还有卡桑赛河、加瓦赛河等支流。但这些支流，因为河水被用于灌溉或被蒸发，所以几乎没有一条河有水能进入锡尔河。图 1-3 为锡尔河流域水系示意图。

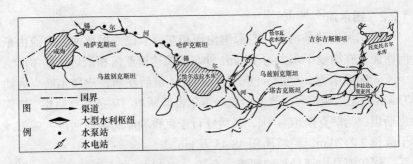

图 1-3 锡尔河流域水系

纳伦河发源于天山切尔斯凯伊阿拉套与阿克什俩克山区，位于吉尔吉斯斯坦和乌兹别克斯坦境内，全长 807 km，流域面积为 5.91 万 km^2。该河是由大、小纳伦河汇流而成，在小纳伦河注入之前，称其为大纳伦河。大纳伦河主要源流库姆托尔河发源于彼得洛夫冰川。冰川长 16.8 km；小纳伦河的主要源流布尔河发源于哲腾别尔山脉北坡冰川的许多小溪。纳伦河在局部地区流淌在峡谷之间。河水补给主要为雪水，上游则为冰川雪水型补给。纳伦河在乌奇库尔干附近(距河口 40 km)的平均流量为 434 m^3/s，最大流量为 2 880 m^3/s。

卡拉达里亚河位于吉尔吉斯斯坦和乌兹别克斯坦境内，由发源于费尔干纳山脉和阿赖山脉坡地的卡拉库利贾河和塔尔河汇流而成，河流全长 352 km，流域面积 3.01 万 km^2。最初，卡拉达里亚河穿流在宽阔的、有很多河汊的河床里，到费尔干纳盆地以前，河流流过堪培拉瓦特峡谷后，流动在沼泽化了的河漫滩上，并分出一些汊流。卡拉达里亚河的河水补给为融化的冰雪。该河距河口 140 km 处的平均流量为 122 m^3/s。卡拉达里亚河的主要支流有：左岸的库尔莎勒河；右岸的雅瑟河、库加尔特河和卡拉翁丘尔河。卡拉达里亚河的水被广泛用于费尔干纳盆地的灌溉，河流在此被库伊干雅尔斯坝拦截并被大费尔干纳水渠切断。

在接收了其支流纳伦河和卡拉达里亚河之后，锡尔河有 300 多 km 流经费尔干纳盆地，另外还有 150 km 流经戈洛德草原。在哈萨克斯坦境内，锡尔河绵延达 1 000 多 km，一直沿图兰低地或突厥斯坦低地流淌。河谷左边是克孜勒库姆沙漠，右边是不规则的丘陵(见

图 1-3)。

当流出费尔干纳盆地时,锡尔河穿过法尔哈茨山脉,形成别戈瓦茨急流,折向西北,然后横穿贫瘠荒凉的塔什干洼地,沿宽达 10 ~ 15 km、局部沼泽化的宽阔河滩地流淌。

在下游,锡尔河穿过克孜勒库姆沙漠的东部边缘;河道稍高于两岸地面,河道弯曲、不稳定。由于两岸地形低洼,河流下游在平原上摆动,常常改变河槽,溃决堤岸,淹没低地,发生洪水。

在从河口到卡扎林斯克的 180 km 段,河流开始分汊,形成宽广的突兀地深入咸海的三角洲。在河口三角洲地带,有许多河汊、支流、湖泊和沼泽地。20 世纪 60 ~ 70 年代,三角洲河网的水文地理变化无常。后来由于来水量逐渐减少,三角洲逐渐干涸,变成了一望无际的荒漠。

锡尔河流域的径流形成主要来自流域的山区部分。其河水补给大多数为季节性雪水补给,少数为冰川和雨水补给,地下水补给意义不大。在河流的总径流中,各种补水的分量变化很大,取决于流域内的冬季降雪量、气温和阳光辐射。河流的汛期一般是在暖季,即从 4 月到 9 月,最大径流是在 7 ~ 8 月,有时会形成洪水波。沿河水情变化很大,不仅取决于自然因素,而且也与人类的经济活动有很大关系。在平原部分,河水被大量的灌溉渠道取走,使得越往下游流量越小,水量就越少,以致经常断流。

哈萨克斯坦境内,锡尔河水量逐渐减少。其右岸支流阿雷西河对锡尔河的径流有一定补充,但是继续往下,该河就再也未接纳任何一条有水的河流,其流量越来越小。

在平水期(秋季和冬季),河流流量明显变小,河宽缩小至 200 ~ 400 m,河深也不超过 2 ~ 4 m,而在洪水期,深度往往为 5 ~ 8 m,甚至达 10 m。洪水期的流速为 1.4 ~ 1.7 m/s。

锡尔河挟带着大量的泥沙,且主要是来自纳伦河和卡拉达里亚河的细颗粒的粉沙,平均含沙量为 1 ~ 2 kg/m^3,在洪水期达 6 kg/m^3 以上。下游泥沙沉积量达 2 000 万 t/a。其中 1/3 沉积在三角洲,其余被带进了咸海,使锡尔河的主河槽每年平均向咸海延伸 110 m。

锡尔河河水的矿化度相当高,平均大于 500 mg/L。锡尔河在费尔干纳河谷范围内一般不结冰，最大的结冰期只有 16 d/a。在秋明阿雷克结冰期比较稳定，平均为两个月，在下游卡扎林斯克以下结冰期较长，平均为 4 个月，有时下游会形成冰坝。

为了调节纳伦河、卡拉达里亚河和奇尔奇克河的河流径流，在托克托古尔到恰尔达拉总长约 1 000 km 的河段上修建了纳伦—锡尔梯级水库。其中最重要的有 5 座，即上游三座湖泊型多年调节水库——托克托古尔、恰尔瓦克和安集延水库以及两座河槽型季调节水库——凯拉库姆和恰尔达拉水库。

1.2.3 其他河流[10,11]

泽拉夫尚河发源于突厥斯坦和吉萨尔山脉，河长 781 km，流域面积为 12 300 km²。泽拉夫尚河具有混合型补给水源，但以高山冰川为主，汛期一般为 4～9 月（与植物生长期同步），年均径流量为 164 m³/s，其中 87% 来自于上游支流马图洽河和芬达利亚河。在泽拉夫尚河的干流——马吉安河河口以下修筑了"五一"坝以调节河流径流。河水顺流而下进入布哈拉绿洲和卡拉库尔绿洲，在这里河流虽有地下水的补水，但因灌溉取水和蒸发，致使河流在进入阿克—卡拉达里亚分水闸时流量只有 107 m³/s，经过在山间盆地的消耗（主要用于灌溉），河流在流出泽拉夫尚盆地时流量只有 78 m³/s，而到达卡拉库尔时流量只有 12 m³/s。上述数据表明，泽拉夫尚河的径流利用程度是非常高的，每年大概没有利用的弃水只有 7 m³/s。这样，在泽拉夫尚河谷范围内大约利用了 96% 的河流径流。剩余部分（平水年没有剩余水）进入沙漠并消耗于沙漠中。

卡什卡达里亚河发源于泽拉夫尚和吉萨尔山脉，河长 310 km，流域面积为 8 780 km²。因为在它的流域范围内没有高山（最高仅 3 157 m），主要是融雪补水，最大流量一般在 4 月。年均径流量仅为 6.89 m³/s，因该河流的总水量很小，且径流在山前区就很快消耗殆尽，很少能流出山区，因此山前区大部分可以利用的土地因缺水而不能灌溉。在卡什卡达里亚河流域土地资源和水资源的矛盾是非常突出的。为了解决卡什卡达里亚河流域水资源短缺和年内分布不均的问题，在卡什卡达里亚河上修建了齐姆库尔甘水库和从泽拉夫尚河取水的伊斯基安加尔渠道，从而让更多的水流经过卡尔希草原的荒漠地区，哺育着中亚腹地美丽的绿洲——卡尔希绿洲，现在在该河流的下游还开凿了渠道可从阿姆河补水，以及用集排水补水。因此，在河床中沉积了大量的土壤、冲洗物。

根据水文地理特征，泽拉夫尚河与卡什卡达里亚河也应属阿姆河流域，但这两条河的水流均未到达阿姆河。因此，又可把它们作为各自独立的河流看待。

阿姆河左方有两条河——捷詹河和穆尔加布河，它们发源于伊朗、阿富汗高原。捷詹河长 1 124 km，流域面积为 70 687 km^2，年均径流量为 60 m^3/s；穆尔加布河长 852 km，流域面积为 46 880 km^2，年均径流量为 51.8 m^3/s。这两条河的流量极不均匀，汛期洪水频发，流量最大达 1 000 m^3/s，而汛期一过，一年中 60% 的时间河流无水，河底干涸。此外这两条河的含沙量都很大，捷詹河径流平均含沙量 16 kg/m^3，穆尔加布河平均含沙量 5.4 kg/m^3。这两条河严格意义上说都不属于咸海流域，但是由于卡拉库姆运河的修建，卡拉库姆运河将这两条河串连在一起，进而与阿姆河相连。因此，这两条河水量的枯丰对咸海流域有一定的影响。为了调节径流，在土库曼斯坦境内，在捷詹河上修筑了卡雷宾特壅水坝，以保证灌溉渠道取水灌溉捷詹绿洲，1950 年建成了第一捷詹水库，水库初始库容约为 1.4 亿 m^3，但泥沙淤积非常严重，1960 年大坝虽经加高，库容仅为 1.11 亿 m^3，1961 年在下游 14 km 处修建了第二捷詹水库，库容 1.8 亿 m^3，此外 1959 年还修建了赫尔赫尔水库，库容 2 000 万 m^3；在穆尔加布河上，共建成了 8 座水库，总库容 7.5 亿 m^3，此外还修筑了许多灌溉引水渠道，它们滋润着土库曼斯坦的阿什哈巴德绿洲和马雷绿洲。

锡尔河的右方有发源于吉尔吉斯斯坦天山山区的两条河——塔拉斯河和楚河及伊塞克湖。从地表径流的角度来说，它们是三个独立的流域，但是它们彼此之间在某种程度上由地下径流相联系，而地下径流与地表径流又是紧密相连的。它们的集水面积为 50 000 km^2，年均径流量为 310 m^3/s，其中只有 60 亿 m^3 进入平原地区用于灌溉。楚河灌溉着比什凯克附近的沃土，它与中亚最美丽的高山湖泊——伊塞克湖西岸仅 3 km 处擦肩而过。

伊塞克湖为高山深水湖,已知最大深度为 702 m,在欧亚大陆的所有湖泊中仅次于贝加尔湖。伊塞克湖以其巨大的容水量影响着湖区的气候,它虽然海拔 1 600 m,但即使在隆冬也不冻结,因此又以"热海"闻名于世。

总之,除阿姆河和锡尔河之外,其他河流虽然在自然地理上属于咸海流域,但是它们都没有余水能流入咸海。所以这里不再赘述。

1.3 咸海流域的水资源

咸海流域的水资源主要是由可再生地表水、地下水以及人为开源的回归水累加而得出的。

1.3.1 地表水资源

地表水资源主要是指河流径流。根据苏联水文气象总局所公布的水文年报的资料,在咸海流域,只计算阿姆河和锡尔河的径流量[12],而把其他河流算做这两条河的支流。在整个观测期内(1911~2000 年),咸海流域算术平均年径流总量为 1 111.69 亿 m³/a[15,16],其中阿姆河流域为 770.93 亿 m³/a,锡尔河流域为 340.76 亿 m³/a。

根据阿姆河和锡尔河流域的年径流总过程线,可以分析出一定的年径流变化循环周期。例如,在阿姆河流域径流过程线上,从 1934 年开始,到 1992 年结束,可以相当清晰地看出 3 个 19 年的循环周期,而在锡尔河的过程线上,从 1928 年开始,到 1997 年结束,也能清晰地看出 6 个 12 年的循环周期。有人建议采用从 1934~1992 年的系列资料来评估阿姆河的年径流量和采用从 1951~1974 年的系列资料来评估锡尔河的年径流量。根据这些系列资料,阿姆河和锡尔河的年径流量列入表 1-3 和表 1-4。这样,阿姆河流域的年径流量为 792.80 亿 m³/a,而锡尔河为 372.03 亿 m³/a。所以,咸海流域地表水(河川)多年平均总径流量为 1 164.83 亿 m³/a。

由于水量的变化,年水资源量在枯水年(95%保证率)到丰水年(5%保证率)之间变动:阿姆河的变动范围为 586.0 亿~1 099.0 亿 m³/a,而锡尔河为 236.0 亿~511.0 亿 m³/a。

由于所处地理位置不同,咸海流域内各个国家的水资源量相差很大(见表 1-5)。从表 1-5 中可以看出,在位于山区的吉尔吉斯斯坦和塔

表 1-3　阿姆河流域多年平均的河川径流量[15]　（单位：亿 m³/a）

河流流域	在以下国家形成的河川径流					阿姆河流域合计
	吉尔吉斯斯坦	塔吉克斯坦	乌兹别克斯坦	土库曼斯坦	阿富汗和伊朗	
喷赤河		210.89			132.00	342.89
瓦赫什河	16.04	184.00				200.04
卡菲尔尼甘河		54.52				54.52
苏尔汉河		3.20	30.04			33.24
卡什卡达里亚河			12.32			12.32
泽拉夫尚河		46.37	5.00			51.37
穆尔加布河				8.68	8.68	17.36
捷詹河				5.60	5.61	11.21
阿特列克河				1.21	1.21	2.42
阿富汗河流					67.43	67.43
阿姆河流域合计(%)	16.04 (2.0)	498.98 (62.9)	47.36 (6.0)	15.49 (1.9)	214.93 (27.2)	792.80 (100)

表 1-4　锡尔河流域多年平均的河川径流量[15]　（单位：亿 m³/a）

河流流域	在以下国家形成的河川径流				锡尔河流域合计
	吉尔吉斯斯坦	哈萨克斯坦	乌兹别克斯坦	土库曼斯坦	
纳伦河	145.44				145.44
卡拉达里亚河	39.21				39.21
纳伦河与卡拉达里亚河之间的河流	17.60			3.12	20.72
费尔干纳河谷右岸	7.80			4.08	11.88
费尔干纳河谷左岸	35.00		8.55	1.90	45.45
中游河流			1.50	1.45	2.95
奇尔奇克河	31.00	7.49		41.00	79.49
阿汉加兰河				6.59	6.59
克列斯河		2.47			2.47
阿雷西河和布贡河		11.83			11.83
下游河流		6.00			6.00
锡尔河流域合计(%)	276.05 (74.2)	27.79 (7.5)	10.05 (2.7)	58.14 (15.6)	372.03 (100)

吉克斯坦形成了咸海流域的绝大部分水资源，它们分别占咸海流域水资源总量的 25.1%和 43.4%，而乌兹别克斯坦为 9.6%，哈萨克斯坦为 2.1%，土库曼斯坦仅为 1.2%，阿富汗和伊朗为 18.6%。

表 1-5　咸海流域多年平均的河川径流量　　（单位：亿 m^3/a）

国家	河流流域		咸海流域	
	锡尔河	阿姆河	亿 m^3/a	%
哈萨克斯坦	24.26		24.26	2.1
吉尔吉斯斯坦	276.05	16.04	292.09	25.1
塔吉克斯坦	10.05	495.78	505.83	43.4
土库曼斯坦		15.49	15.49	1.2
乌兹别克斯坦	61.67	50.56	112.23	9.6
阿富汗和伊朗		214.93	214.93	18.6
咸海流域合计	372.03	792.8	1 164.83	100

1.3.2　地下水资源

可再生地下水资源可以分为两部分：在集水区内自然形成的地下水以及在灌溉区域内在渗流作用下形成的地下水。总的来说，在阿姆河和锡尔河流域已探明并确认的地下水水源有 339 处，总的地下水储量评估为 434.9 亿 m^3/a，其中阿姆河流域为 250.9 亿 m^3/a，而锡尔河流域为 184.0 亿 m^3/a。地下水与地表水有很明显的水力联系，它们之间相互转化。考虑到这一点，扣除重复量，已确认的地下水总储量为 169.38 亿 m^3/a（见表 1-6）。现在，地下水实际取水量为 110.37 亿 m^3/a，虽然在 20 世纪 90 年代初曾超过 140 亿 m^3/a。

表 1-6　咸海流域地下水储量　　（单位：亿 m^3/a）

国家	评估值	确认值	实际取水量
哈萨克斯坦	18.46	12.7	2.93
吉尔吉斯斯坦	15.95	6.32	2.44
塔吉克斯坦	187	60.2	22.94
土库曼斯坦	33.6	12.2	4.57
乌兹别克斯坦	184.55	77.96	77.49
咸海流域合计	439.56	169.38	110.37

1.3.3 回归水

在河流上游，水被用于灌溉后，一部分被太阳蒸发，一部分含有盐分和农药化肥残留物的剩余水由排水渠道收集起来，重新排放到河流中，而河流下游再将这种增加了盐分和杂质的"集排水"（也称"回归水"）用于灌溉。此外，因中亚土壤含盐度较高，为了降低含盐度，必须定期对耕地进行"清洗"。具体做法是：将水灌入耕地并保持一定时间后，再将水排出。由于灌溉面积很大，每年都有超过 100 亿 m³ 的水用于洗田。排出的水不仅盐度较高，而且含有多种农药的残留物和其他有害物质。这种脏水一部分排放至一定地点（如乌兹别克斯坦的乌兹鲍伊地区）集中起来，但沿途却污染了土地和水源，有的则进入下游，与工业污水、生活污水一道加重了河水水质污染。回归水是重要的用水补充储备。从灌溉土地上排出的集排水占回归水总量的 95%。其余部分是工业和公共事业企业的污水。表 1-7 中列出了在 1990～1999 年间咸海流域回归水的平均值。

随着灌溉和排水系统的发展，在咸海流域出现了回归水的稳定增长，特别是在 1960～1990 年期间出现强劲增长。1991 年以后，由于所利用的灌溉面积暂时下降和排水系统的破坏，回归水量稳定且开始稍有下降。在 1990～1999 年期间，回归水总量变动在 280 亿～335 亿 m³/a 之间，其中 51% 被排入河流，约 33% 排入低洼地区，只有 16% 被再次用于灌溉，从而造成污染。

表 1-7　咸海流域回归水的形成和排放　　　（单位：亿 m³/a）

国家	来自灌溉的集排水	工业和公共事业污水	回归水合计	排放和利用		
				排入河流	排入天然低洼地	重复用于灌溉
哈萨克斯坦	16	1.9	17.9	8.4	7.0	2.5
吉尔吉斯斯坦	17	2.2	19.2	18.5	0	0.7
塔吉克斯坦	40.5	5.5	46.0	42.5	0	3.5
土库曼斯坦	38	2.5	40.5	9.1	31.0	0.4
乌兹别克斯坦	184	16.9	200.9	89.2	70.7	41.0
咸海流域合计	295.5	29	324.5	167.7	108.7	48.1
其中锡尔河流域	119.5	14.4	133.9	91.6	15.4	26.9
其中阿姆河流域	176.0	14.6	190.6	76.1	93.3	21.2

从以上所述中可知，咸海流域的水资源是由地表水、地下水和回归水所组成的，年均三项合计为 1 658.71 m³/a，扣除阿富汗和伊朗所占有的部分，可供中亚五国利用的水资源量为 1 442.78 m³/a。其中阿姆河为 1 103.48 m³/a，扣除阿富汗和伊朗所占有的分量 214.93 m³/a 后，尚有 888.55 m³/a，而锡尔河为 555.23 m³/a。

阿姆河和锡尔河的河川径流自出山口之后，大部分流程穿行于咸海两岸的沙漠地带，水量因此约减少一半，其中部分水量消耗于沿途天然蒸发和渗入地下，主要水量用来灌溉相邻地区的干旱土地。在 1910～1960 年间，流入咸海的年平均流量为 470 亿～500 亿 m³，加上地下水 50 亿～60 亿 m³/a 和咸海水面的降雨量 55 亿～65 亿 m³。咸海水面的年蒸发水量估计为 600 亿 m³。这样，可以利用的水量为 656 亿～686 亿 m³/a。在 1960 年以前，地表水、地下水与降雨量相加的总和才与蒸发量基本上平衡，咸海的年平均进出水量保持在一个相当稳定的状态，变幅不是很大。这就形成了比较稳定的海水位。同时，苏联的五个中亚共和国仅利用了流域总水量的一半多一点（大约 630 亿 m³）。流入咸海的年均流量大约为 560 亿 m³。

第二章　咸海流域的水利工程建设

2.1　灌溉的重要性

咸海流域气候干燥、少雨，灌溉是非常重要的。关于咸海流域灌溉的重要性，世界银行 2003 年 2 月发表了一篇调查报告[17]，题为《中亚的灌溉——社会、经济和生态视点》。在开篇"概述"中说："咸海流域的中亚各国——哈萨克斯坦、吉尔吉斯斯坦、塔吉克斯坦、土库曼斯坦和乌兹别克斯坦拥有一部分世界上最大的灌溉项目。在这些国家，约有 2 200 万人口直接或间接地依靠灌溉农业生存。由于灌溉的发展和专门的定居计划，出现了一个个由成千上万人组成的社区。没有灌溉，大部分土地就将回到自然的荒漠状态。"在该报告的第二章中又说："灌溉在中亚各国的经济中起着重要的作用。由于该地区气候干旱，在大多数地方农作物必须灌溉。1999 年，灌溉农产品占国民生产总值的分量：哈萨克斯坦为 11%，塔吉克斯坦为 19%，土库曼斯坦为 27%，乌兹别克斯坦为 33%，吉尔吉斯斯坦为 38%。在乌兹别克斯坦、塔吉克斯坦和土库曼斯坦，农产品特别是棉花占出口的 20% ~ 40%。"

在世界银行报告的第三章"灌溉与贫穷之间是什么关系？"中这样写道：

灌溉对穷人更重要，贫穷的家庭在自己的土地上利用灌溉增加经济收入的百分比小于富人的，而灌溉土地比旱地可使人均收入增加 2 倍多。家庭经济定量研究的资料不能确定不同地区的灌溉质量，但是，野外调查研究清楚地表明，越富裕的家庭经济越具有可靠的水源。由于灌溉系统开始衰败，家庭经济的人均收入水平大大下降，这种影响程度取决于灌溉土地的分量。随着灌溉土地接近于零，收入就降到最低。这样，在家庭经济中，灌溉土地分量大且灌溉面积减少不多，收入减少就不多，而且，在家庭经济中，灌溉土地的分量较小，即使灌溉面积减少不多，收入也大幅度下降。因此，家庭经济越贫穷，灌溉土地的分量就越少。因此，世界银行作出结论，灌溉项目的减少对贫穷的影响成显著的正比例关系。

长期以来，中亚的农业被生产资料和产品等的价格支持、生产限额和规定价格而扭曲。从中亚地区以外国家的经验来看，应该清醒地认识到，如果农场主按照世界市场价格出售农产品来支付所有生产资金，严重依赖于灌溉的农业在经济上是无利可图的。许多专家认为，特别是对那些用水泵提水灌溉的项目就更是现实的问题。

对乌兹别克斯坦全境和塔吉克斯坦的几个抽样地区，在省级（州级）水平上模拟了灌溉农产品按照世界市场价的计算结果（见表2-1），就这两个国家而言结果有很大的差别。即使是在最悲观的关于未来价格的报价和农业企业对生产资料提价的反映范围内，亦即假定报价不是建立在更有利可图的农作物上和不是更有效地利用生产资料的基础上，乌兹别克斯坦只有12%的灌溉土地是无利可图的，这样，即使是没有重要的经济优势（这些优势在经济政策改革后会出现），乌兹别克斯坦的大多数灌溉系统就是按世界价格也是有利可图的，而且利润是很高的。随着改革和农场主改种更有价值的农作物的出现，利润会更高。但是，在所研究的资金实施方案中，乌兹别克斯坦有上百万人现在依靠农业生存，这实际上是无利可图的，无利可图的土地比较集中。

在塔吉克斯坦，采用自由的市场价格会出现更多的问题。根据有关将来价格的报价，在分析所采用的典型抽样区，有三分之一到三分之二的土地是无利可图的。但是如果假定农场主能更有效地利用生产资料并能转种利润更大的作物，或者转种能更多地节约用水量的作物，则利润将比常规作物大得多。塔吉克斯坦那些现在不亏损的地区（种植棉花的地区）将有很高的利润。

但是，政府是根据财务分析而不是经济分析来作决定的，世界银行专家研究了吉尔吉斯斯坦地区级（相当于我国的县级）最近10年的农业问题。专家们发现，恢复农场内基础设施的费用折合成净价大大低于给农场主不再灌溉而获得的补贴收入折合成净价（高于他们因非灌溉农业而获得的收入）。这意味着政府恢复农场内系统比补偿居民所损失的收入更便宜。在地区级所进行的这种分析表现出地区之间的差别很大，同时表明在每一个具体情况下就地进行分析的重要性。

表 2-1　扣除泵站供水电费之前经济利润的比较

(与预测的 2015 年棉花和小麦的世界价格相比)

项　目	棉花		小麦		蔬菜	
	塔吉克斯坦	乌兹别克斯坦	塔吉克斯坦	乌兹别克斯坦	塔吉克斯坦	乌兹别克斯坦
2015 年世界价格(美元/吨)	1 265	1 305	130	130		
农场出厂价(美元/吨)	346	382	147	160	60	125
收成(吨/hm²)	1.8	2.2	1.5	2.5	12.0	11.0
收入(吨/hm²)	622	825	221	400	720	1 369
费用(吨/hm²)	444	392	168	283	503	702
其中:						
设备	104	147	59	119	93	233
劳务	105	58	15	14	132	306
种子	18	34	29	50	180	8
肥料	97	85	27	59	45	70
农药	90	53	15	26	23	70
运输	15		8		15	
供水	15	15	15	15	15	15
利润(扣除电费之前)	178	433	53	117	217	667

　　从以上所摘译的世界银行报告的内容来看，灌溉对中亚各国不仅具有重要意义，而且在经济上也是有利可图的，同时还解决了大批劳动人口的就业问题。这也充分证明，当初苏联决定在中亚发展灌溉农业是正确的。

2.2　水利工程发展简介

　　对于咸海流域来说，河川径流是最重要的水资源之一。要完整和合理地利用河川径流就要进行水利工程建设。因此，从古代起中亚人就学会了开挖渠道来引水灌溉农作物。许多现在仍在运行的渠道(如达尔格姆、纳尔帕伊、沙赫鲁德等)是在 1 000 多年以前建成的[18]。那时灌溉农田主要是在河流下游的阶地和河滩上开垦出来的，因此取水比较容易。土地耕种具有原始性质，许多渠道常常是独立平行的，从河流中单独取水，具有很长的直接输水段和密密麻麻的弯曲沟渠网，从而导致在所有灌溉网环节上损失了大量的水。在取水枢纽上没有工程建筑物决定了渠道运行的洪水性质，因此有不合理的大量取水和弃水。灌溉常常是漫灌，没有排水网，这就导致盐碱化和沼泽化。一旦土壤盐碱化严重，导致农作物歉收或绝收时，古人就抛弃了这些土地转而开垦新的土地。这就是所谓的土地熟荒轮作制。

农户的熟荒轮作制决定了大量的非生产用水的蒸发损失，河流上没有取水建筑物使得配水非常困难。

突厥斯坦合并到俄罗斯对该地区的水利事业没有带来重大的变化，直到十月革命时仍然处在中世纪的发展水平。在苏维埃政权年代，水利建设朝着提高老灌溉土地的水保证率、开垦新土地和改善该地区土壤状况的方向发展。这就要改造老的灌溉系统，建设新的技术完善的系统，在河流上修筑水库和壅水坝，建筑农庄内渠道网和主干排水网，连通灌溉系统、从丰水流域调水到缺水流域，等等。

水利建设的水平、速度和次序是由国家基础工业的发展水平和速度决定的。随着国家动力装备、挖土机械和建筑材料等工业水平的提高，一些比较复杂的问题得到了解决。在首批五年计划的年代，各地实现了老灌溉系统的恢复和改造：渠道的闸化、排水的合并、灌区内荒弃土地的开垦，跨农庄的和农庄内的灌溉和排水网的重建。在一些河流(泽拉夫尚河、奇尔奇克河和卡拉达里亚河)上建设的首批水利枢纽，改善了配水情况。

在第二次世界大战以前(1938～1939年)，开始了根本性地改造费尔干纳河谷和恰吉尔的水利工程：南费尔干纳、北费尔干纳和大费尔干纳渠道的扩建和改造，在奇尔奇克和阿汉加兰河谷开挖了北渠道和塔什干渠道，从而大大地扩大了灌溉土地的范围并提高了水保证率。在泽拉夫尚河流域，1940年卡塔库尔干水库投入运行。伟大的卫国战争终止了灌溉工程的迅猛发展，大量的水利建筑工程被迫停工。战争年代只进行了农庄内的渠道网改造和维修工程。

战后，水利工程建设的速度开始加快，在锡尔河流域，法尔哈德和克孜勒奥尔达水利枢纽和卡桑赛水库投入运行，在泽拉夫尚河上建成了一系列水利枢纽。同时继续进行灌溉系统的重建工程、提高土地利用系数和径流调节工作。在费尔干纳河谷进行了大量的把灌溉系统连成统一的水利系统的工作。这样，可以调配水资源，使得在某些水源缺水期间仍能保证用水。

在 20 世纪 50 年代的下半期和 60 年代初，在中亚的各河流流域开展了大规模的水利建设。阿姆河流域建成了一系列新的灌溉系统。1956年，锡尔河上的凯拉库姆水库和阿姆河流域的卡拉库姆运河一期工程投入运行。

在 60 年代初，在饥饿草原和谢拉巴德草原和布哈拉绿洲的生荒地上开展了水利建设，在卡什卡达里亚河流域的(奇姆库尔干水库)、苏尔汉河上的(乌奇克孜勒和南苏尔汉水库)以及泽拉夫尚河上的(库尤马扎尔水库)水利工程都是这个时期建成的。

在 60 年代和 70 年代，在中费尔干纳、锡尔河中下游、瓦赫什和卡菲尔尼甘以及苏尔汉河谷，在卡拉库姆、卡尔希和阿姆布哈尔运河区继续开垦生荒地。同时，各地都在进行大型灌溉工程建设，旨在降低渠道的渗流损失，改善取、配水条件。

为了提高灌溉水源的灌溉能力，在这些年还建成了一些大型水库：奇尔奇克河上的恰尔瓦克，卡拉达里亚河上的安集延，纳伦河上的托克托古尔，锡尔河上的恰尔达拉，在阿姆河流域的努列克水库和秋雅穆云水库相继投入运行，在泽拉夫尚河和卡什卡达里亚河流域的图达库尔斯克和塔利马尔詹水库开始拦蓄阿姆河的水。

在阿姆河流域，当努列克、罗贡和秋雅穆云水库蓄水到设计水位时，其总库容为 307 亿 m^3，亦即占该流域水资源总量的 38.7%。但是，因罗贡水库尚在施工，还没达到满蓄水条件，阿姆河的调节功能还比较弱。阿姆河流域除了上述三大水库之外，还有一些不太大的水库——卡拉库姆运河上的哈乌兹汗、阿什哈巴德和科佩特山水库，它们的总有效库容 10.9 亿 m^3，苏尔汉河上的南苏尔汉水库(6.1 亿 m^3)和乌奇克孜勒水库(0.8 亿 m^3)都是拦蓄阿姆河的水。

在泽拉夫尚河流域，现有水库总有效库容为 10.6 亿 m^3，占其水资源的 20.6%。图达库尔斯克和绍尔库尔水库的有效库容在达到设计高程时为 15 亿 m^3，卡什卡达里亚河流域的水库有效库容为 8.32 亿 m^3，占奇拉克奇坝址以上地表径流的 76%。塔利马尔詹水库的设计有效库容为 14 亿 m^3。

在实施提高中亚各河流域土地用水保证率的措施的同时，还进行了大量的土壤改良工程。早在 20 世纪 30 年代末和 40 年代初，就在奇尔奇克河的左岸阶地和费尔干纳河谷建设大型集排水渠。在 40 年代中期和 50 年代初，费尔干纳河谷的大型集排水渠——索希斯发林和北巴格达工程修到了锡尔河。在 50 年代，开始了中费尔干纳的土壤改良工程，在达利韦尔津和饥饿草原开展了大规模的土壤改良工程。80 年代，在锡尔河流域进行了改造老的和建设新的排水管网的系统工程。

干线集水渠网的回归水或者排到河槽和渠道，或者排到阿尔纳赛内流洼地。只是在锡尔河下游没有发达的集排水渠网。在阿姆河流域也进行了集排水渠网的建设工程，在该河流域的上游干线集排水渠网将水排放到河网里。土库曼沿岸地区的回归水一部分沿左岸集水渠排放到阿姆河河槽。

20 世纪 40 年代开始改善阿姆河下游土地的土壤状况。首先将集排水集中在灌溉渠外围的不大的低洼地。由于这些洼地蓄满了水，在 50 年代中期建成了达利亚雷克排水渠道，在 60 年代初又建成了澳泽尔渠道。下游地区排水渠网的建设继续进行，现在，回归水或者排放到阿姆河河槽和渠道，或者排放到萨雷卡梅什洼地和其他小低地或咸海。

在泽拉夫尚河流域，20 世纪 30 年代开始有计划地建设集水渠网，40～50 年代实现了建设新的和改造老的渠网。但是只是在撒马尔罕州集排水排放到河槽和渠道，而在布哈拉州排放到当地的小低地。

60 年代开始建设大型干线排水网，且大部分是在 70 年代初就完工了。现在，布哈拉和卡拉库尔绿洲的回归水集中到灌溉排水湖——卡拉吉尔、帕尔桑库尔和阿亚卡吉特姆湖。集排水从帕尔桑库尔湖沿着布哈拉主干渠排放到阿姆河河槽。

在卡什卡达里亚河流域的上、中游部分，大面积灌溉土地的排水是用天然水沟，在这个地区新开垦的土地上形成了人工排水网，把水排入卡什卡达里亚河和南卡尔希总排水渠。在卡什卡达里亚河下游(齐姆库尔干水库以下)，良好的土壤改良状态是用较低的土地利用系数达到的。所以"干"排水和集排水排入当地洼地起了很大的作用。

从 70 年代中期开始，来自灌溉土地的回归水排向新灌区的干线排水渠，并沿着南卡尔希总渠排到苏尔丹达格湖。1983 年，由于该湖灌满了水，建成了向阿姆河排水的泄水道。

1991 年，苏联解体以后，中亚各国的水利工程建设受到了一定的影响，一些大型新建工程（例如罗贡水利枢纽）停建或缓建，一些需要改造或扩建的项目也被迫延期，从而造成用水的浪费和不合理。直到进入 21 世纪，随着中亚各国经济的复苏，以罗贡坝为代表的一些水利枢纽开始恢复建设，以卡尔希运河为代表的渠道输水工程开始改造。可以预料，咸海流域一轮新的水利工程建设的高潮就要到来。在这迎接水利建设新高潮的时刻，让我们再次回顾和归纳过去已有的工程，以便从中汲取成功的经验和失败的教训。

2.3　调水灌溉工程的建设

20 世纪 50 年代中期至 60 年代，苏联大力调整区域经济，把全苏划分为 18 个基本经济区[19]，乌兹别克、吉尔吉斯、塔吉克和土库曼为中亚经济区，主要是发展农业种植业经济，其中最主要的是指定中亚种植棉花；而哈萨克为一个单独经济区，主要是发展农业种植业（水稻和小麦）和畜牧业经济。

为了加强中亚经济区棉花生产基地的建设和哈萨克经济区畜牧业和重要产粮区的粮食生产，按照苏联的"劳动分工"，在咸海流域修建了庞大的调水和灌溉工程，以保证粮食和植棉业的长期稳定发展。表 2-2 中列出了咸海流域一些较为知名的调水灌溉工程。在调水灌溉方面除了这些工程外，在阿姆河流域还有以下一些工程。

根据地貌特征，阿姆河流域可分为三部分[12, 20]：上游区（克尔基市以上）、中游区（从克尔基市至秋雅穆云水利枢纽）和下游区（从秋雅穆云水利枢纽至咸海）。上游区大型灌溉系统有瓦赫什干渠、舍拉巴德引水渠和赞戈引水渠。在中游和下游区，阿姆河大型（流量 100 m³/s 以上）引水渠有卡拉库姆运河、卡尔希干渠、阿姆布哈尔引水渠、塔什萨卡引水渠、巴赫塔—阿尔纳引水渠、克雷奇尼亚兹巴伊渠、苏维埃雅勃引水渠、列宁雅勃引水渠和吉兹克特肯引水渠。阿姆河克尔基市以上河段的右岸有乔尔尚加水渠和苏尔希水渠，取水量达 16 m³/s；此外，左岸还有索维佳勃渠等，右岸还有克兹克特肯渠等。

在恰特雷(萨曼巴伊)的下游修建了一些浇灌阿姆河三角洲的水渠，其中最大的一条是拉乌尚渠；此外还有罗哈京斯基干渠、加夫库什渠、下科克塔什渠、大吉萨尔渠、莎阿尔图兹渠、霍莎雷渠等季节性运行的灌溉干渠。

表 2-2　咸海流域现已建成的调水灌溉工程(运河、渠道)[21]

项目名称	水源地(河流)	用水地区	渠首设计流量(m³/s)	年输水量(亿 m³)	线路长度(km)	主要用途	工程建成年份
土库曼斯坦							
列宁·卡拉库姆运河	阿姆河	土库曼斯坦南部内陆河流域	510	120～130	1 300	灌溉	1980
阿姆布哈尔运河	阿姆河	泽拉夫尚河	269	58	234	灌溉	1977
卡尔希干渠	阿姆河	泽拉夫尚河	195	36	177	灌溉	1974
克兹特根灌渠	阿姆河	阿姆河流域		36	25	灌溉	
列宁运河	阿姆河	阿姆河流域		25	128	灌溉	1940改建
苏维埃十月灌渠	阿姆河	阿姆河流域		20	100	灌溉	
克雷奇尼亚拜灌渠	阿姆河	阿姆河流域		14	126	灌溉	
塔吉克斯坦							
瓦赫什总干渠	瓦赫什河		150			灌溉	
吉沙尔干渠			60			灌溉	
乌兹别克斯坦							
安集延大灌渠	纳伦河	北巴格达	330		109	灌溉	1970
纳曼干大灌渠	纳伦河	阿尔马萨河	62		54	灌溉	1974
吉扎克干渠	锡尔河	吉扎克	191		96.7	灌溉	1976
南饥饿草原灌渠	锡尔河	锡尔河流域	540	34	127	灌溉	1961
谢拉巴德干渠	南苏尔汉水库	谢拉巴德	110		27	灌溉	1966
费尔干纳大灌渠	纳伦河	卡拉达里亚河、锡尔河流域	200	53	350	灌溉	1939
北费尔干纳干渠	纳伦河	锡尔河流域			166	灌溉	
南费尔干纳干渠	纳伦河	锡尔河流域			108	灌溉	

除上述调水、取水工程外，阿姆河流域修建了许多水渠，目的在于将丰水地区的水调到缺水地区。比如，吉萨尔水渠将卡菲尔尼干河流域的水调配至苏尔汉河流域，赞戈水渠将苏尔汉河下游的水调配至

舍拉巴德河流域，伊斯卡—安加拉水渠将泽拉夫尚河的水调配至卡什卡达里亚河，等等。

在费尔干纳盆地锡尔河的一些支流上修建了大约700条灌溉渠道，在锡尔河上修建了大约50条灌渠。除表2-2中所列出的调水工程外，还有在卡拉达里亚河上兴建的沙阿里汉塞水渠和萨瓦伊水渠；由锡尔河引出的是以阿洪巴巴耶夫命名的水渠。有100多条干渠和泄水道的水流进山区河流和锡尔河，其中，有43条干渠和泄水道的水流进卡拉达里亚河，有45条流进锡尔河；最大的干渠是萨雷苏、卡拉古冈和北巴格达茨基。

据有关部门统计，到1990年，仅阿姆河沿岸取水口取水能力之和达到32 000 m³/s[22]。在锡尔河流域，已被截流使用470.2亿m³，超过其年均地表水资源量的26.4%，也就是说，不仅将地表水资源全部用尽，连地下水和回归水也差不多用光了，加上河水流动时的损耗和蒸发，锡尔河出现断流也就不足为奇了。在阿姆河流域792.8亿m³的地表水资源量中，已被截流使用约692.47亿m³，占总水量的87.3%。加上损耗和蒸发，使得能注入咸海的水量也越来越少，有时甚至完全断流，从而导致咸海水位不断下降，水面不断缩小，濒临干涸的危险。

在上述调水灌溉工程中，有两大工程闻名于世——列宁·卡拉库姆运河[23]和卡尔希灌溉总渠[24]，这两项工程曾是苏联的骄傲，也是今天(特别是前者)引起争议最大的工程。为了让读者对这两项工程有进一步的了解，这里对其作一些简要的介绍。

2.3.1 列宁·卡拉库姆运河[23]

沙俄时期棉花一半依赖进口[6]。在中亚地区扩大水浇地种植棉花，是俄国几代人的梦想。棉花生产要求高积温，这种自然地理条件只存在于中亚、东哈萨克斯坦、外高加索和俄罗斯及乌克兰的南部边缘地区。19世纪80年代俄罗斯的实业界人士开始在土库曼发展棉花生产；沙皇亚历山大三世也在那里亲自划定了2.5万俄亩的棉田。1906年秋工程师萨佑诺夫提出利用阿姆河水开发卡拉库姆沙漠东南部的设想。苏联成立后加里宁于1925年2月正式提出修建卡拉库姆运河的动议。一系列的科学考察和研究活动也相继展开。1954年正式开工前，以费斯曼、费多罗维奇等为首的大批苏联学者和工程师进行了大量的工作，取得了大量的科研成果和野外勘测技术资料，并在此基础上进行了工程设计工作。工程目标是开挖一条运河，将一部分原本流入咸海的阿姆河的水穿越卡拉库姆沙漠进入土库曼，并逐渐把它改变成一个系统的水系，以扩大水浇地种植棉花。这一工程方案的预期不仅是学者和工程师们的科学构想，在那个年代，几乎也是社会公众和专业人员万众一心的企盼。在这样的背景下，列宁·卡拉库姆运河于 1954 年正式开工建设，工程按计划分 4 期施工。第一期工程从阿姆河到穆尔加布河，全长 400 km，其中穿过沙漠荒原段 300 km，首部取水枢纽的最大取水量为 130 m³/s，年取水量为 35 亿 m³。开垦土地 9.2 万 hm²。一期工程的土方工程量为 1 亿 m³，大部分工程量是用推土机和挖泥船完成的，混凝土和钢筋混凝土的工程量为 5 万 m³。二期工程是从阿姆河到捷詹河流域，总长 540 km，其中新增长度为 140 km，穿过沙漠荒原段 70 km，首部取水枢纽的最大取水量为 198 m³/s，年取水量为 47 亿 m³。捷詹河流域新开垦土地 7.2 万 hm²。为了调节卡拉库姆运河的秋冬季径流量，兴建了库容为 4.6 亿 m³ 的哈乌罕斯克水库。二期工程的土方工程量为 9 100 万 m³，混凝土和钢筋混凝土的工程量约为 7 万 m³。三期工程是从阿姆河到盖奥克泰佩市，总长 840 km，其中新增长度为 300 km，首部取水枢纽的最大取水量为 295 m³/s，年取水量为 83 亿 m³。新增灌溉面积 5.6 万 hm²，并提高了保证用水的面积 15 万 hm²。在阿什哈巴德地区兴建了东西两水库，西库库容 4 800 万 m³，东库库容 630 万 m³。第三期工程的土方工程量为 1.2 亿 m³，混凝土和钢筋混凝土的工程量为 30 万 m³，使哈乌罕斯克水库的库容增加到 8.75 亿 m³。1969 年开始兴建第三期工程的最后一项工程——科佩特山水库，库容 2.186 亿 m³。该水库向土库曼斯坦的西部工业区供水。运河的第四期工程是从阿姆河到卡赞吉克，总长 1 100 km，其中新增长度为 250 km。运河的设计总灌溉面积为 48.9 万 hm²，其中四期工程增加 6.1 万 hm²，取水首部最大取水流量为 510 m³/s，科佩特山水库的库容增加到 5.6 亿 m³。1976 年通过了四期工程的设计方案并开始施工。1981 年阿姆河的水到达了 1 100 km 之外的卡赞吉克，在那里新开垦了大片的灌溉土地。20 世纪 80 年代，运河又得到了改造和扩展，特别是修建了大量的支渠、斗渠、农渠和毛渠，使灌溉面积大大扩展。现在运河长度已达 1 300 km，年调水量已达 120 亿~130 亿 m^3，运河的灌溉面积达到 125 万 hm^2。

2.3.2 卡尔希灌溉总渠[22, 24]

该工程于 1964~1974 年兴建，设计总灌溉面积 90 万 hm^2，其中第一期工程 20 万 hm^2，第二期工程 15 万 hm^2。渠首位于土库曼斯坦境内的阿姆河右岸，无坝引水，引水口附近河岸为岩体，附近河段河面开阔，河势摆动，为避免脱流不得不以挖泥船清淤引流。

卡尔希工程是个庞大的渠系工程。总干渠上建有七级泵站，每站均为 6 台机组。1~6 级泵站总设计扬程 128.5 m，均为轴流泵，单泵提水流量 40 m^3/s，一泵一管，出水钢管直径 3 600 mm，虹吸式断流，总装机容量 51 万 kW。第 7 级泵站为离心泵，装机 10 万 kW，扬程 23.5 m。每年 5~9 月灌溉期 1~6 级泵站扬水，第 7 级泵站停机，非灌溉期 7 级泵站联合运行提水充入供灌溉期补充水量的塔里马江调蓄水库。调蓄水库以前的总干渠设计流量为 220 m^3/s，水库以后总干渠流量为 400 m^3/s。总干渠为全断面混凝土板衬砌，塑料薄膜防渗。塔里马江水库为一座利用平原洼地筑围坝的巨型水库，均质土坝，坝基素土夯实，坝面用混凝土板护坡，塑料薄膜防渗，围坝两段共长 11 km，水库总库容 15.25 亿 m^3，可调蓄水量 20 亿 m^3，水库水面 75~77 km^2，水面蒸发损失一般每昼夜 15 万~20 万 m^3，最大 70 万~100 万 m^3。

卡尔希干渠每年自阿姆河引水 50 亿 m^3，耗电 24 亿 kW·h。由于阿姆河的水含沙量较大，从取水口至一级泵站长 20 km，每年要挖沙 1 400 万 m^3，为此设置 30 条挖泥船沿取水口前后和沉沙池至一级泵站常年作业。全年清淤费用达 1 600 万卢布（按当时官方汇率折合为 2 315.5 万美元），费用负担是相当沉重的。沙瓦特取水口沉沙池，每月挖沙 5 万 m^3，灌溉期 5 个月即需挖沙 25 万 m^3。困难还在于挖出的全为粉细砂，沿干渠和沉沙池附近堆放，压占大量土地形成了沙丘沙岗，又产生次生沙化，水利部门虽想方设法用挖出的粉细沙开发建材等途径，但只能消化九牛一毛，为此深感头痛。就连通过乌尔根奇市（哈列兹姆区首府）的干渠两侧也沿渠堆放粉细沙，实在影响市区环境。

2.4 水力发电工程的建设

锡尔河和阿姆河上游均位于帕米尔高原的深山峡谷之中，有条件兴建大型水库，既可蓄水发电，又可对径流进行季调节、年调节甚至多年调节，从而使水资源得到充分利用。中亚地区总的水能资源理论蕴藏量为 7 500 亿 kW·h[25,26]，其中技术上可开发的水能资源为 3 058 亿 kW·h，有经济开发价值的为 1 700 亿 kW·h，现已开发 387 亿 kW·h，约占 22.5%。中亚各国现已运行 45 座水电站，其总装机容量为 1 040 万 kW。位于瓦赫什河的努列克水电站是咸海流域最大的水电站，其装机容量为 270 万 kW，该水电站归属于塔吉克斯坦；第二大水电站是位于纳伦河上的托克托古尔水电站，其装机容量为 120 万 kW，现属于吉尔吉斯斯坦。这两座水电站的发电量占咸海流域总用电量的 27.3%。

阿姆河水能资源理论蕴藏量为 360 亿 kW·h，且主要集中在瓦赫什河上，该河的梯级开发始于 20 世纪 50 年代，在该河上兴建了 6 座水电站及 2 座渠道水电站，见表 2-3。

表 2-3 阿姆河和瓦赫什河水力发电工程（水电站、水库）[12, 27]

电站名称	所在河流	设计流量 (m³/s)	装机容量 (万 kW)	年发电量 (亿 kW·h)	坝高 (m)	库容 (亿 m³)	施工期间 (年)
罗贡	瓦赫什河	1 100	360	130	335	133	1976～1990
科佩特	阿姆河			24			
豪兹汉	阿姆河			14.3			
秋雅穆云	阿姆河		15			78	1969～1980
舒罗布	瓦赫什河		50				
努列克	瓦赫什河	1 400	270	112	300	105	1961～1979
拜帕金	瓦赫什河	950	60	27.4	75	1.29	1980～1985
桑格图丁	瓦赫什河		66	27.33			1985
高拉夫	瓦赫什河	1 055	21	11.5			1956～1963
渠道跌水水电站		93	2.96	2.15			1954～1960
渠道水电站		100	31.5	15	23	0.9	1950～1954

到目前为止，在锡尔河的干、支流上已建大中型水库数百座（见表 2-4），总装机容量超过了 550 万 kW。其中对支流奇尔奇克河进行了梯

表 2-4 锡尔河干支流较大水利工程[12, 27]

工程名称	所在河流	坝型	坝高 (m)	坝顶长度 (m)	总库容 (亿 m³)	装机容量 (万 kW)	发电量 (亿 kW·h)	完成年份
恰尔达拉	锡尔河	冲填坝	28.5	5 300	42.0	10		
布贡	锡尔河	土坝	21	5 200				
奇姆库尔干	锡尔河	土坝	33	7 500				
凯拉库姆	锡尔河	土坝	32	1 200	42.0	12.6		1956
卡姆巴拉金 1 号	纳伦河		275	560	36.0	190		在建
托克托古尔	纳伦河	重力坝	215	293	195	120	44.0	1978
乌奇科尔贡	纳伦河	土石坝	37	2 900		18		2002
库尔普赛依	纳伦河	重力坝	113	360	3.70	80	80	1983
塔什库梅尔	纳伦河	重力坝	75	336	1.41	45		在建
恰尔瓦克	奇尔奇克河	堆石坝	168	764	26.0	70.6	20.0	1972
恰特卡利	奇尔奇克河				44.0			
科科麦连	奇尔奇克河				15.0			
阿汉加兰	阿汉加兰河	土坝	100	1 633	2.60			1978
卡桑赛	卡桑赛河	堆石坝	64	210	1.65			1968
安集延	卡拉达里亚河	支墩坝	115	920	19.0	14		1980

级开发。该河分三段开发,首先开发下游段,从奇尔奇克河引水入博兹苏灌渠,在渠上建 16 级水电站,平均引水流量 91.9 m³/s,总装机容量 32.67 万 kW,年发电量 18.55 亿 kW·h,电站于 1923～1956 年间先后建成。中游兴建 3 级水电站,引水流量 565 m³/s,总装机容量 99.1 万 kW,年发电量 29.78 亿 kW·h,这三级水电站先后于 1963～1980 年间投产发电。

在咸海流域,到目前为止,已建成库容大于 1 000 万 m³ 的水库 80 多座[15, 28],总库容 645 亿 m³,其中有效库容 465 亿 m³,包括阿姆河流域 202 亿 m³,锡尔河流域 263 亿 m³。由于已建成的水库,锡尔河的径流调节度为 0.94(亦即自然径流几乎完全被调节),而阿姆河的调节度为 0.78(亦即还有进一步调节的潜力)。参与阿姆河径流调节的有 3 座河槽型水库:两座(努列克水库和拜帕金水库)位于瓦赫什河上,而另一座(秋雅穆云水库)位于阿姆河的下游。到 20 世纪 80 年代,锡尔河流域运行着 15 座水库,其中有五大水库参与锡尔河径流的季调节和年调节,它们是位于纳伦河上的托克托古尔水库,位于奇尔奇克河上的恰尔瓦克水库,位于卡拉达里亚河上的安集延水库,位于锡尔河上的凯拉库姆和恰尔达拉水库。下面简要介绍一下咸海流域的几座大型控制性工程。

2.4.1 罗贡水利枢纽[12]

罗贡水利枢纽位于塔吉克斯坦的瓦赫什河上游。大坝为斜心墙土石坝,最大设计坝高 335 m,为世界第一高坝。坝顶长 660 m,该工程具有发电、灌溉和防洪等综合效益。水库回水长 65~70 km,面积为 160 km^2,设计总库容为 133 亿 m^3,有效库容为 86 亿 m^3。水电站设计安装 6 台水轮发电机组,设计总装机容量为 360 万 kW,年发电量 130 亿 kW·h,向中亚联合电网送电。该工程于 1975 年开工建设,至 1990 年首批机组发电。1991 年苏联解体后,工程施工极不正常,时停时建。1993 年因库水漫过围堰,冲毁土石方达 200 万 m^3,对罗贡坝造成很大损失,使工程处于停建状态。2002 年塔吉克斯坦与俄罗斯签订续建协议,同年又开始续建,但至今尚未见到竣工报道。

罗贡水利枢纽坝址以上流域面积为 30 700 km^2,多年平均流量为 645 m^3/s,年输沙量为 1 亿 t,年平均降水量 730~800 mm,一般集中在 5~6 月。

2.4.2 努列克水利枢纽[12, 27, 29]

努列克水利枢纽位于塔吉克斯坦的瓦赫什河中游。大坝为常规的黏土心墙土石坝,最大设计坝高 300 m,该坝是世界第二大高坝。坝顶长 704 m,顶宽 20 m,坝基宽 1 440 m。坝体方量为 5 800 万 m^3,其中防渗心墙为 780 万 m^3。水库面积为 98 km^2,回水长度 70 km,最大深度 220 m,库容消落深度 50 m,总库容为 105 亿 m^3,有效库容 45 亿 m^3,使瓦赫什河的径流调节能得到保证。水电站安装 9 台水轮发电机组,单机容量为 30 万 kW,装机总容量为 270 万 kW,最大水头 270 m,年发电量 112 亿 kW·h。该工程于 1961 年开工建设,1972 年第一台机组开始发电,1980 年全部建成。该工程具有发电、灌溉和航运等综合效益。

努列克水利枢纽坝址控制流域面积 3.07 万 km^2,多年平均径流量为 205 亿 m³，10%保证率的径流量为 230 亿 m³，90%保证率的径流量不超过 166 亿 m³，20 年一遇的洪水流量为 3 200 m³/s。根据泥沙沉积的测量数据计算得出瓦赫什河每年挟沙量超过 40 t/hm²，每年通过坝址的悬移质泥沙为 1 亿 t 以上。1989 年测量的淤积几何形状表明，努列克水库 18 年运行期间淤积量为 18.4 亿 m³，截至 1989 年 10 月，未淤库容尚有 86.6 亿 m³。死库容淤积量接近 7 亿 m³，有效库容淤积量为 11 亿 m³。人们较为关心的是 1972 年蓄水至今约 25%的库容已被泥沙淤积。据估计泥沙形成的坡角已经靠近电站进水口。

2.4.3 秋雅穆云水利枢纽[22]

秋雅穆云水利枢纽位于乌兹别克斯坦哈列兹姆区阿姆河干流上。该工程 1969 年开工，1969 ~ 1973 年进行建筑物土石方开挖，1973 ~ 1979 年浇筑混凝土坝体，1979 年截流，1980 年 3 月开始蓄水。水利枢纽包括 4 个水库：河道水库回水长 190 km，卡帕拉司水库、苏旦申加尔水库和考司布拉水库，其中卡帕拉司水库是专门给城市和工业供水的，4 个水库由连通建筑物沟通，设计总库容 78 亿 m³，有效库容 53 亿 m³。主要建筑物有大坝，水电站，泄洪道和左、右岸干渠渠首。大坝共长 60 km，水库水面面积 650 km²；水电站装机容量为 15 万 kW；泄洪道最大泄流能力为 8 500 m³/s；右岸渠首取水量为 200 m³/s，左岸渠首取水量为 500 m³/s。因上游用水量增加，水库自建成后未蓄满，而且水库以上引河灌溉回归水盐分增加使水质恶化。专门为工业和城镇供水的卡帕拉司水库，由于库底发现盐层，且与河道水库连接的控制建筑物未建成，无法控制含盐量高的水质进入本水库，也无法保证多蓄水。另外两个水库苏旦申加尔和考司布拉，因入库水量不足，目前也很少蓄水。总之，该水利枢纽由于来水量减少，水质达不到预计标准，加之工程未全部建成，因此如何充分发挥效益、保证水质、提高管理运用水平等方面都还有许多工作要做。另外，本水利枢纽泥沙淤积仍比较严重，河道水库已淤积 5.35 亿 m³，按设计 20 ~ 30 年淤满；卡帕拉司水库 50 年淤满。水库建成后最初 9 年共调蓄水量约 400 亿 m³，少于设计调蓄水量。水库蒸发损失很大，年均蒸发损失水量达 6.3 亿 m³。为保证水库水质，曾研究并部分实施过将上游洗盐期的回归水直接排入咸海，对此亦有不同意见而未完全实施。

2.4.4 托克托古尔水利枢纽[12, 27]

托克托古尔水利枢纽位于吉尔吉斯斯坦境内的纳伦河上，是纳伦河梯级开发的最后一级。大坝为混凝土重力坝，位于狭窄的石灰岩河谷中，最大坝高 215 m。坝顶长 293 m，顶宽 10 m，坝基宽 153 m。水电站厂房采用坝后式，安装 4 台水轮发电机组，单机容量为 30 万 kW，装机总容量为 120 万 kW，多年平均发电量 44 亿 kW·h。由于河谷过于狭窄，无法并排布置 4 台机组，于是采用前后两排布置的方式，而尾水管采用上下叠放式布置。水库回水长度 65 km，面积 284 km^2，总库容 195 亿 m^3，有效库容 140 亿 m^3。工程于 1965 年开工，第一台机组于 1973 年开始发电，1978 年全部建成。

托克托古尔水利枢纽对锡尔河起主要的调节作用。坝址多年平均径流量 360.6 亿 m^3，最大实测流量 2 850 m^3/s，最小流量为 120～200 m^3/s，年降水量 350 mm，年输沙量 1 600 t。设计下泄流量为 4 000 m^3/s，泄洪装置包括两座闸门式溢洪道(设计泄洪能力 1 320 m^3/s)和两座低设计等级的水闸，水闸下泄水流经过厂房顶，通过挑流鼻坎挑射到大坝下游的消力池中。

2.4.5 恰尔瓦克水利枢纽[12, 22]

恰尔瓦克水利枢纽位于乌兹别克斯坦境内锡尔河支流奇尔奇克河上，大坝为亚黏土心墙堆石坝，坝高 168 m。坝顶长 764 m，宽 15 m，坝基宽 720 m，坝体总方量 2 160 万 m^3。水库总库容 20.06 亿 m^3，有效库容 15.8 亿 m^3，引水式水电站装机容量 70.6 万 kW，泄水建筑物由两层改建的施工导流隧洞和竖井式备用泄水洞构成，最大泄水能力为 1 770 m^3/s。通过坝址多年平均径流量 61.5 亿 m^3。恰尔瓦克工程于 1966 年开工，第一台机组于 1970 年开始发电，最后一台机组于 1972 年投入运行。

近 10 多年来，由于中亚地区干旱频繁，使河川径流量出现了 40 亿～80 亿 m^3 的非常变幅，因此个别年份水库不能蓄到设计水位，泄水深度大大超过了规定的幅度(30～40 m)，达到 75 m，低于死水位 20 m。坝基水文地质状况发生了很大变化。为保护水质不受污染，沿水库周围建设的旅游设施和度假别墅全部停建，在这些建筑物可能造成的对水库水质污染解决之前，不准使用和继续建设。

2.4.6 阿汉加兰水利枢纽[27]

阿汉加兰坝位于锡尔河的支流上，海拔高度较高，修筑大坝最初是为了将阿汉加兰河的水引至露天煤矿附近。因为煤矿开采规模扩大，大坝分三期进行了加高。大坝属斜心墙堆石坝，现坝高 100 m。人们较为关心的一个安全问题是如果出现溃坝，库水将全部涌入露天煤矿矿坑内。另外急需关注的是大坝上游水库左岸存在不稳定的地区，若边坡出现突然坍塌滑动，将造成巨大的涌浪漫过坝顶。

阿汉加兰坝未设表面溢洪道，惟一的泄水建筑物为左岸泄洪隧洞，设计泄洪能力为 400 m³/s，由建在大坝轴线下游狭窄河谷岸边的阀室控制隧洞下泄流量。阀室以及下游消力池都易被狭窄河谷边坡可能出现的泥石流淹没。

应该指出的是，由于阿姆河和锡尔河的含沙量比较大，大多数水库大坝是在 20 世纪 80 年代以前建成投产的，距今至少已 20 多年，实际上几乎所有水库都存在淤积问题，并导致设计的有效库容损失。有人估计，大多数水库的有效库容至少损失 30%以上。因此，对河流径流的调节能力应以相应的方式评估。

2.5 水利工程中的泥沙问题[22]

如上所述，锡尔河和阿姆河均发源于帕米尔高原，其河源头的来水既有融雪水，也有暴雨径流，融雪来水冲刷挟带泥沙较少，暴雨径流挟带泥沙相对较多，阿姆河较锡尔河泥沙来量要更多一些。就泥沙含量和成分而言，融雪挟带的推移质少，暴雨挟带的推移质多。平时泥沙以河床摆动而造成的侧向补给为主，暴雨径流发生时常有泥石流发生，阿姆河上游的克尔基市最大含沙量高达 13 kg/m³。

对于锡尔河和阿姆河上的所有水利工程而言，无论是调水灌溉渠道，还是蓄水发电工程，都需要特别小心地解决泥沙问题。应该说，20 世纪 50～80 年代，苏联的专家和学者也充分认识到了这个问题的重要性，曾开展了大量的科学研究工作，同时也获得了许多重要的科研成果，而且，根据所取得的理论研究成果，针对具体工程的实际情况，制定了一些较为有效的工程措施来排沙导沙，延长工程的使用寿命。这里我们根据收集到的资料，将中亚各国在水利工程中采取的防治泥沙的措施归纳如下。

（1）河流上游有条件建水库和拦沙库的地方，结合防洪、发电等建造水库和拦沙库，在采取了一定的导沙排沙措施的同时，又预留一定年限的沉沙库容拦截大量泥沙，特别是把泥石流和大量卵砾石均拦截在水库内，而把能够排放的细颗粒和部分粗颗粒尽量排放，以增加灌溉水的肥力和维持河道稳定，同时延长水库使用寿命。如锡尔河干流上的托克托古尔水库、凯拉库姆水库和支流奇尔奇克河上的恰尔瓦克水库，阿姆河主要支流瓦赫什河上的努列克水库和罗贡水库，均把大量泥沙拦截于库内，大大减少了水库以下的河流泥沙量。对努列克水库[27]和罗贡水库是按泥沙全部淤积在水库内计算水库寿命的。如罗贡水库原计算寿命为 150 年，后来通过研究计算，认为粒径小于 0.015 mm的泥沙可以部分通过水轮机下泄，这样水库寿命又可达 230 年。为解决泥沙引起的水轮机磨损问题，水轮机过水部件可拆卸更换。位于阿姆河下游的秋雅穆云水利枢纽亦留有一定库容作为淤沙库容。对泥石流河道也可采用垒石填土植树的固岸措施。

（2）对于中下游河道上无坝引水口的选择，一般先进行认真深入的现场勘察和室内试验，以选取合理的和理想的取水口位置和型式，如哈列兹姆区的坦萨金取水口即是由中亚灌溉科学研究所在室内进行平面 1/500、垂直 1/60 的模型试验后修正了原设计方案而确定的。为了保证取水能力，有的取水口采用了多口取水的工程布置。例如，卡拉库姆运河就采用 4 个无坝式引水口[18]，正常情况下两个引水，两个挖沙。卡尔希干渠取水口前河势摆动大，则配置挖泥船常年作业，以保证取水条件和取水能力。

（3）在沉沙输沙方面，一般在取水口后设输沙渠和沉沙池。为保证输沙渠不淤塞，配置挖泥船挖沙。沉沙池的设计是按沉粗输细的原则，即将 70%～80%的粗颗粒沙子沉下、将具有肥力的细颗粒（不超过 1.5 kg/m³）输走的原则设计。

（4）沉沙池以下的清淤。沉沙池以下的干渠和支渠还会有泥沙淤积，普遍是用不同型号的挖泥船和其他清淤机械清淤，沿渠两侧堆放，日积月累越积越多，实在无法利用，则再开新渠，这是由于中亚地区地广人稀的社会自然条件决定的。为此中亚专业设计所研制了数种小型清淤机械，便于使用，性能良好。工程中也得到广泛应用。

泥沙问题过于复杂，至今仍然是世界上最难解决的工程问题之一。从我们所收集到的资料来看，中亚虽说在解决水利工程的泥沙问题方面积累了一些经验，但是，在一些重要的水利工程中都或多或少地存在泥沙淤积问题。

兴建大型水库拦截泥沙当然是有效的，但是水库清水下泄、河道泥沙的沿程补给主要是侧向补给等问题并没有解决，主流摆动和游荡不断发生，因此近年来陆续进行河道整治以稳定沿河的取水条件。

水库拦截泥沙特别是细颗粒泥沙以后，带来的另一个问题是水流带到田间的细颗粒和肥力降低了，而这对咸海流域沙漠区灌溉是尤为必要的，因此中亚灌溉科学研究所的专家们和水利管理单位正在研究水库的水沙合理调度运用问题。

阿姆河中下游水流含沙量一般为 $1.5 \sim 5.0 \ kg/m^3$，最大不超过 $8 \ kg/m^3$。自阿姆河取水的灌溉工程虽已发挥巨大效益，但也时常受泥沙之苦。除前面提到的卡尔希干渠工程之外，作者在考察乌兹别克斯坦的白费克–斯澳赫水泵站时亲眼看到一些输水渠道的水非常混浊，据专家估计含沙量至少在 $4 \sim 5 \ kg/m^3$。另据乌方官员介绍，泥沙对水泵叶轮磨损非常厉害，在有的泵站，涂刷了防磨涂料的水泵叶轮经过 6 个月的运行，不但见不着防磨层，而且叶轮也被磨损一大圈，不得不更换新的叶轮。由此可见泥沙磨损是多么的严重。

2.6　水利基础设施的改造[17]

虽然，咸海流域的所有大坝和水利枢纽都是相当重要的建筑物，并且经受了多年无事故运行的考验，但是，长期的运行和维修拨款的大幅度减少使得人们对其安全担忧。因此，最近几年，检查咸海流域水利枢纽的状况、实施提高大坝安全的措施、更新改造大坝安全检测的现代化设备，更新改造水利枢纽特别是水泵站以及灌溉和排水系统是中亚各国的热门话题和最重要的工作。

现在，有关中亚的灌溉和排水系统改造问题，在世界银行和有关国家的政治活动家中有三种意见。第一种意见认为，对于中期计划来说，除了灌溉，咸海流域的农村居民用水没有其他的选择方案。在水利基础设施完全不能使用、导致人们遭受更大的苦难之前，政府应该尽可能多和尽可能快地进行投资改造。第二种意见认为，大多数灌溉和排水系统在经济上没有偿付能力，在无利可图的水利基础设施中投资没有意义。即使在系统具有偿付能力的地方，任何投入到水利基础设施的资金在政策和制度因素没有改善之前都将白白地花费掉，因为农场主还没有实现相应的运行和技术维护的资金。第三种意见认为，国际组织应该协助政府在许多地区让灌溉系统分阶段退出运行，因为在这些地区灌溉系统不是而且永远也不会是生态稳定的因素。

世界银行所作的野外考察研究表明，最近10多年来，水利基础设施大大衰落，由于国家预算基金大幅度减少，农业生产者的收入急剧减少，制度上的真空在生长壮大，技术保养实际上等于零。大多数被调查的项目不能保证可靠的供水和供水不足，这不仅表明灌溉与排水系统开始衰败，而且还表明在当地农村不完全相符的管理实践和营私舞弊。由于不完全相符的排水，土壤的盐碱化和沼泽化达到了非常严重的程度，使得收成大大低于其应有的潜力，饮用水水质下降，大多数基础设施损坏。少数有影响的人物控制着水的分配，这样就增加了当地农村的不平等。尽管农村居民力图驾驭新的条件，适应农业生产或寻找新的工作，但是他们经常无功而返。因此，农村居民指出，若不改善基本生活条件，不改善水利基础设施特别是灌溉渠道的运行状况，贫穷和苦难将越来越普遍。

现在，有关中亚的灌溉和排水系统改造问题，在世界银行和有关国家的政治活动家中有三种意见。第一种意见认为，对于中期计划来说，除了灌溉，咸海流域的农村居民没有其他的选择方案。在水利基础设施完全不能使用导致人们遭受更大的苦难之前，政府应该尽可能多和尽可能快的投资改造。第二种意见认为，大多数灌溉和排水系统在经济上没有偿付能力，在无利可图的水利基础设施中投资没有意义。即使在系统具有偿付能力的地方，任何投入到水利基础设施的资金在政策和制度因素没有改善之前都将白白地花费掉，因为农场主还没有实现相应的运行和技术维护的资金。第三种意见认为，国际组织应该协助政府在许多地区让灌溉系统分阶段退出运行，因为在这些地区灌溉系统不是而且永远也不会是生态稳定的因素。

赞成改造灌溉系统的人认为，这些方案即使在经济上没有偿付能力，也应该作为执行减轻过渡期负担的社会规划来完成。问题不在于应不应该进行改革，而在于应在多大程度上减轻所涉及到的居民要承担的改革后果，以及什么样的方案更适合该地区。改造的反对者们以造价太高为依据，因此反对者建议政府对因不改造而受损失的所有人员进行补偿。金钱补偿的折合净值只是在最不利的设计方案范围内小于灌溉系统所需要的补贴。考虑到大量居民靠补助生活的社会后果，政府可能要研究包括创造补贴工作岗位的第二种选择方案和迁移人口的可能性。根据保守的推测，对于所涉及到的留在以前灌溉土地上和迁移到其他地方的人数，对政府来说，在所有方案范围内，补贴无利可图的改造系统也是便宜的。

反对改造灌溉系统的人认为，他们的依据主要是自然因素。根据所预期的较大的生态后果联想到要夺走具体的改造投资，虽然包括生态的局部评估基本上不影响经济分析的条件，但是在一些初始分析方案中，折合净值改变了符号，变成负数，尽管在基本方案中仍然是正值。这种结果只是依据生态的局部评估，因此不可能计算生态系统和健康损失的数值。在短期计划中，在该地区的其他灌溉改造方案分析中，包括生态(特别是这方面的巨大要求和自然系统的复杂性)外在的费用与优势之比可能不是正值。这表明，对工程部分所进行的研究可能有变化，并作出更合适的方式，而未来模式应该考虑包括更多的投资方案。

上述研究结果不能被看做是为了社会目的来投资不经济的改造项目。研究只是表明，如果通过决定在整个过渡期给予社会协助，不能只根据价值结论将灌溉改造方案排除在外，应该考虑其他因素，例如，对于政府来说，分阶段缩减收入维持计划或灌溉系统补贴能轻松多少？另一个方案是要研究现有的不适用的灌溉系统在改革过程开始后在多大程度上变成经济上有偿付能力的系统，这样使得短期协助的目的能与更长期的稳定设想相结合。另一方面，在改造完成后，从农业部门将继续推动到其他部门，像收入维持方式和在非农业部门创造工作岗位这样的相应信号是关键。

世界银行的研究得出结论，咸海流域经济复苏的长久成果只能依据宏观经济改革，宏观改革伴随着在农业部门以及水资源(特别是灌溉水)管理方面专业改革的微观经济效果。在制度改革过程与农村当地的作用结果之间的过渡期是很长的。这需要解决两个综合问题的具体战略。第一个综合问题是，当失真仍然发生时，在不完全满意的条件范围内，改革和投资的顺序。第二个综合问题涉及到改革的后果和所需要的协助，以便避免因不顺畅的改革而出现的困难。

在上述三种意见中哪一种意见占优势呢？根据所进行的计算，第一种赢得了小小的胜利，同时第二种意见以接近的结果占据第二位。在短期和中期计划中，大量的社区实际上依靠灌溉系统作为生存资金的来源，他们没有更多的选择方案。防止和延缓灌溉和排水系统状态的恶化和退出使用对穷人来说是有效的，虽然不是在很大的程度上。许多灌溉系统有稳定的经济效益，虽然制度和市场的失真没有给农业生产者利用其所有的潜在优势。显然，现有的体制和制度严重影响投资的稳定性，发展需要更多的时间和对政策的促进。结论不是按照生态流派的意见来决定，因为不可能测量所有的生态作用，而条件有时有很大的变化，简单的分析表明，在方案的经济分析中生态损失(被认为有很大的生态作用)没有在很大程度上改变投资决定。

近年来，在世界银行的大力帮助下，中亚各国开始重视水利基础设施的改造问题。例如，2003 年末[30]，亚洲发展银行确认了向乌兹别克斯坦共和国提供总额为 9 920 万美元的发展农业的两项贷款：一是"阿穆赞加机械化渠道系统的恢复"——贷款 7 320 万美元，另一项是"提高谷类作物的产量"——贷款 2 600 万美元。

"阿穆赞加机械化渠道系统的恢复"项目的目的是提高阿穆赞加灌溉系统功能的可靠性、效率和稳定性。该项目包括阿姆河的梯级泵站，灌溉着苏尔汉州约 10 万 hm^2 的土地，在这片土地上有 40 万居民靠灌溉农业生活。

该项目包括三个主要泵站——巴巴塔格、阿穆赞加 1 号和阿穆赞加 2 号的改造，保证该系统所有泵站水泵的有效运行。提高系统的过水能力、保证灌溉水的有效和及时分配是阿穆赞加渠道干线灌排系统(某些渠段、水工建筑物及其他的混凝土浇筑)改造和恢复的目的。

2003 年 12 月初，乌兹别克斯坦水利和农业部副部长阿·阿·扎拉罗夫先生率团来华洽谈用中方提供优惠贷款改造乌方水泵站的事宜，作者有幸参加了乌方代表团的接待工作。据乌方官员介绍，乌兹别克斯坦共有 1 460 座水泵站，提水灌溉面积约 250 万 hm^2，而且这些泵站大多是在 20 世纪 60~80 年代建成的，大部分泵站都达到和超过了运行的使用寿命，亦即都需要进行更新改造才能继续运行。

2004 年 3 月，作者随团参加了乌兹别克斯坦水泵站的考察工作。我们共考察了乌方 23 个水泵站。从考察情况来看，在所有考察的水泵站中，最早建成的泵站是 1963 年，运行至今已 41 年，最晚的是 1984 年，至今也有 20 年的历史了。几乎所有水机设备(包括水泵、电机和闸门)都已严重磨损，功耗大，效力低；电气设备(包括室外变电站，室内高、低压柜，配电盘、控制盘等)都已老化，陈旧不堪，有的还留下了短路烧毁的痕迹。用中方一位专家的话说，如在我们国内，这些设备早就作为破烂给处理掉了，已经进入 21 世纪了，国内不会有人愿意使用这些东西了。从乌方自上而下(特别是泵站管理部门)的谈吐和接待热情中可以看出，乌方对中方满怀着殷切的期待。这项工作至今仍在继续进行，成功的希望很大，可能近期就有结果。

据中亚信息网报道[31]，2004 年 2 月 9 日哈萨克斯坦政府与亚洲开发银行签署了关于给哈国农田供排水项目提供借款的协议。亚洲开发银行的这笔借款总额为 3 460 万美元，借款期限为 25 年。该项目的总金额为 6 500 万美元，实施期限为 6 年。哈萨克斯坦方面的投资额为 2 090 万美元。另一投资方是伊斯兰开发银行，其投资额为 950 万美元。哈萨克斯坦政府已于 2003 年 9 月与伊斯兰开发银行签署了相应的合同。

该项目旨在恢复和发展哈国的农田供水和排水系统——蓄水池、水泵站、净化设施、输水管道等。该项目包括 80 个分项目，涉及阿克莫拉州、南哈萨克斯坦州、北哈萨克斯坦州和卡拉干达州的 400 多个农村居民点。项目成功实施后，将促进其他地区改善供水的问题得到尽快解决。项目预计于 2009 年 12 月 31 日前完成。

有关水利工程的改造项目，在咸海流域的其他国家也有一些，这里就不一一赘述了。

第三章 水利工程促进社会经济的发展

3.1 灌溉面积的大幅增长

如前所述，在咸海流域，从古代起，农业灌溉就很发达。随着引水灌溉渠道的建设，灌溉面积不断扩大。到 20 世纪初(1911～1917年)[18]，锡尔河流域的灌溉面积为 125 万 hm^2，阿姆河流域为 61.4 万 hm^2，泽拉夫尚河流域为 54.68 万 hm^2，加上其他流域的灌溉面积，中亚总的灌溉面积应在 300 万 hm^2 以上[32]。不过，其中有一部分不能保证经常有水灌溉。当时咸海流域多以农牧业为主，近似自然经济。因此，农业产量很低，例如，1913 年哈萨克斯坦粮食产量为 216.2 万 t，乌兹别克斯坦为 102.5 万 t，吉尔吉斯斯坦为 43.6 万 t，塔吉克斯坦为 20.2 万 t，土库曼斯坦只有 15.9 万 t；哈萨克斯坦子棉产量为 1.5 万 t，乌兹别克斯坦为 51.7 万 t，土库曼斯坦为 6.9 万 t。"十月革命"胜利后的内战期间，由于内战的破坏，灌溉面积大为减少。内战结束后，中亚各国先后以加盟共和国的形式加入苏联，列宁提出加快少数民族落后地区(相对于俄罗斯来说，中亚是少数民族比较集中的落后地区)的经济建设。中亚各加盟共和国就开始成规模地建设水利工程，在二次世界大战以前，中亚地区先后建成了苏维埃十月灌渠(长 100 km、年调水量 20 亿 m^3)、克雷奇尼亚拜灌渠(长 126 km、年调水量 14 亿 m^3)，1940 年改建了列宁运河(长 128 km、年调水量 25 亿 m^3)，1939 年建成了费尔干纳大灌渠(长 350 km、年调水量 53 亿 m^3)。这些工程建成以后，加上一些重要的灌溉系统的改造，不仅在 30 年代使灌溉面积迅速恢复到战前水平，而且大大促进了中亚各国的经济发展，使中亚地区的粮食和棉花生产都上了一个台阶。

1940 年，锡尔河流域植棉区的灌溉面积为 126 万 hm^2，阿姆河为 78.7 万 hm^2，再加上泽拉夫尚河流域和卡什卡达里亚河流域的灌溉面积，总数在 420 万 hm^2 左右，而且一直到 50 年代初都维持在这个水平。

二战以后，苏联进入了和平建设的年代。随着在 20 世纪 50～80 年代中期一大批大、中、小型水利枢纽、首部取水建筑物和跨地区跨流域调水工程和水泵站的兴建，咸海流域的经济，特别是灌溉农业获得了巨大的发展。灌溉面积出现了全面增长的态势（见表 3-1 和图 3-1）。

表 3-1　各河流域灌溉面积的增长动态　（单位：以 1950 年为 100%）[18]

河流流域灌溉区	1955 年	1960 年	1965 年	1970 年	1975 年	1976 年	1978 年
锡尔河：							
费尔干纳河谷	108	116	124	128	139	—	143
中游	136	170	251	298	376	—	392
恰吉尔	107	109	121	130	138	—	141
下游	—	100	121	185	267	—	264
全流域合计		118	133	147	168		177
阿姆河：							
上游	112	132	143	167	184	176	—
中游	110	188	344	434	835	990	1 060
下游	116	124	128	128	156	161	178
全流域合计	114	135	158	178	243	—	278
泽拉夫尚河流域	—	—	100	96	102	84	88
卡什卡达里亚河流域	—	—	100	108	116	118	123

在锡尔河流域的上游地区，到 70 年代中期，灌溉面积比 1950 年增长约 40%，而阿姆河增长 84%。各河流中游灌溉面积的增长幅度更大（见表 3-1），锡尔河中游由于饥饿草原和吉扎克草原生荒地的开垦，灌溉面积增长了近 3 倍，而阿姆河中游由于卡拉库姆、阿姆布哈尔和卡尔希运河相继投入运行，灌溉面积增长了近 100 倍。

总体来说，锡尔河流域灌溉面积 1960 年超过 170 万 hm^2，1970 年为 217 万 hm^2，而到 1978 年接近 260 万 hm^2，而阿姆河的灌溉面积相应地为 107.1 万 hm^2、141 万 hm^2 和 207 万 hm^2。加上泽拉夫尚河、卡什卡达里亚河、穆尔加布河和捷詹河等河流流域，咸海流域总的灌溉面积从 1960 年的大约 450 万 hm^2 扩大到 1985 年的近 700 万 hm^2（见表 3-2）。

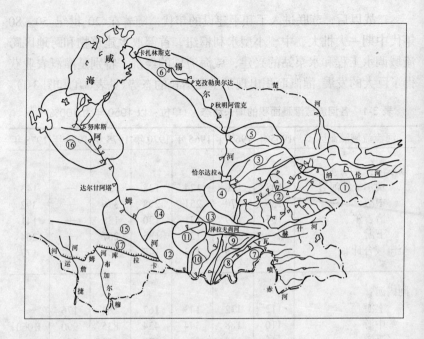

图 3-1　咸海流域灌溉区域

①—锡尔河上游灌区；②—费尔干纳河谷灌区；③—恰吉尔灌区；④—饥饿草原灌区；⑤—阿图尔灌区；⑥—锡尔河下游灌区；⑦—喷赤河灌区；⑧—瓦赫什河灌区；⑨—卡菲尔尼甘灌区；⑩—苏尔汉谢拉巴德灌区；⑪—卡什卡达里亚河灌区；⑫—卡尔希灌区；⑬—泽拉夫尚河灌区；⑭—布哈拉灌区；⑮—土库曼沿河灌区；⑯—阿姆河下游灌区；⑰—卡拉库姆运河灌区

　　20 世纪 80 年代中期以后，由于受到水资源总量的限制，这在一定程度上限制了新土地的开垦，咸海流域灌溉面积的增长幅度大大下降，但是灌溉总面积仍在小幅增加，只是赶不上人口的增长。所以，从 80 年代中期到现在，在咸海流域，人均灌溉面积呈下降趋势。1991年，苏联解体，中亚各国独立成为主权国家。然而，咸海流域的水资源短缺问题不但没有解决，反而更加严重。各国都在呼吁减少用水，在口头上，甚至在书面文件中都承诺要缩减灌溉面积，减少用水量，而实际上各国都想多引水，以利自己国家的经济发展。就灌溉面积来说，不仅没有缩减，而且是在不断地扩大。根据世界银行 2003 年出版的调查报告，1999 年咸海流域的总的灌溉面积达到 1 016.2 万 hm^2（见表 3-3）[17]。

表 3-2 咸海流域灌溉面积、取水量、回归水动态[28, 32-34]

年份	灌溉面积（万 hm²）	盐渍化的土地（%）	取水量（亿 m³）	水的矿化度（g/L）	单位取水量（万 m³/hm²）	回归水（亿 m³）	子棉产量（万 t）
			到期末				
1900 ~ 1915	324.6（其中经常灌溉的只有 200 万 hm²）	3 ~ 5	100 ~ 150	0.3 ~ 0.4	0.2 ~ 0.6	—	66.6 (1913)
1916 ~ 1931	307.1	5 ~ 10	200	0.3 ~ 0.5	0.53	—	
1931 ~ 1940	433.7	16 ~ 20	261	0.3 ~ 0.5	0.6	—	201.6
1940 ~ 1951	454.5	25 ~ 30	321	0.3 ~ 0.6	0.71	10 ~ 20	
1952 ~ 1960	498.2	56	561.5	0.3 ~ 0.7	1.12	50 ~ 60	386
1961 ~ 1970	512.9	56	868.4	0.5 ~ 1.0	1.69	100 ~ 120	674
1971 ~ 1980	612.7	56	1 067.9	0.7 ~ 1.0	1.74	290 ~ 300	946.2
1981 ~ 1985	693	51 ~ 60	1 066	1.0 ~ 2.5	1.54	320 ~ 324	
1986 ~ 1990	760		1 064		1.40		
1991 ~ 1999	790		946.6		1.20	335	

表 3-3 1999 年咸海可耕地、灌溉土地和牧场的面积 （单位：万 hm²）

国家	可耕地总面积	灌溉土地面积	牧场面积
哈萨克斯坦	3 013.5	231.3 (7)	1 823.3
吉尔吉斯斯坦	143.5	107.7 (75)	921.6
塔吉克斯坦	86.0	71.9 (84)	360.0
土库曼斯坦	174.4	174.4 (100)	307.0
乌兹别克斯坦	485.0	430.9 (89)	228.0
中亚合计	3 902.4	1 016.2 (26)	3 639.9

注：①括号中的数字是指灌溉面积占可耕地面积的比重；②表 3-3 是取自世界银行的统计数据，表中所列出的灌溉面积比其他书刊上的数据多出 200 多万 hm²，这个数据是否偏大，译者无法界定。

3.2 中亚各国的经济发展

从第二次世界大战以后到 20 世纪 80 年代末，按照苏联的劳动分工，哈萨克斯坦重点发展粮食和有色金属初级原料生产；乌兹别克斯坦重点发展棉花种植业、有色金属（主要是黄金）和石油天然气开采、部分机器制造业；土库曼斯坦重点发展棉花种植业、养羊业和石油天然气开采；塔吉克斯坦重点发展植棉、水力发电工业和机床生产。苏联在中亚地区进行了更大规模的水利建设，先后建成了数以千计的水泵站（仅乌兹别克斯坦就建设了 1 460 座水泵站）、80 座库容超过 1 000 万 m^3 的水库（中小水库没找到统计资料，估计应在万座以上），大大小小的灌溉渠道也在千条以上和一大批水电站，等等。由于大量水利工程的修建，极大地扩大了咸海流域的农田灌溉面积。在 1970～1989 年间，阿姆河和锡尔河流域的灌溉面积相应地增加了 150% 和 130%，终于使棉花种植业成为当地的主导产业。水利工程使社会生活和经济发展有了用水的保障，促进了咸海流域的工农业生产全面发展。灌溉使这个地区的农产品产量提高了 4 倍[6]。20 世纪 80 年代，在 730 万 hm^2 的水浇地上，农业生产一度呈现过跃进局面，棉花丰收，水稻也高产。1980 年苏联的棉花年产达 996 万 t，占世界首位（占世界当时总产量的 20%），而咸海流域的棉花达到 946 万 t，占全苏的 95%。当时，全苏 40% 的稻米、25% 的蔬菜和瓜类、32% 的葡萄和水果也产于这里。由此可见，中亚的农业生产在苏联占据了何等重要的地位。到 1990 年，中亚五国的工农业总产值为 1 029 亿卢布，按照当时的官方汇率约为 1 491.3 亿美元，其中工业产值（679 亿卢布，约为 984 亿美元）只占 66%，农业产值（350 亿卢布，约为 507.2 亿美元）仍占 34%，仍然处于"工业—农业经济"发展阶段，这是中亚五国的共同特点。应当承认，在苏联时期的近 70 年中，中亚五国的经济是有很大发展的。一些重要经济部门从无到有、从小到大，经济实力显著增强。但因历史、现实以及资源条件不同等种种因素，中亚五国经济发展也不平衡。1990 年[4]，五国人均 GDP 情况是：哈萨克斯坦 1 850 美元，土库曼斯坦 1 204 美元，乌兹别克斯坦 1 148 美元，吉尔吉斯斯坦 1 119 美元，塔吉克斯坦 984 美元。而同期土耳其这一指标是 1 200 美元。就是说，中亚国家的经济发展水平可与某些中等发达国家相媲美，其发展速度在发展中国家中算是比较高的。

苏联解体使中亚国家几十年内形成的经济联系遭到严重破坏甚至中断，这给中亚各国经济造成难以想像的严重后果。经济联系链条断裂，使中亚许多大中型企业陷入瘫痪，导致中亚各国经济连年大幅度下滑。如果以 1995 年与独立前的 1990 年相比，五国国内生产总值下降幅度分别是：土库曼斯坦 22%，哈萨克斯坦 55%，吉尔吉斯斯坦 50%，乌兹别克斯坦 18%，塔吉克斯坦 50%；工业总产值大幅度下降，农业也不例外，但是相对于工业或其他部门来说，由于水利工程的建设（虽然一大批泵站和渠道因缺少正常的维修和保养资金而不能正常运行），农产品产量的下降幅度要小一些。1995 年农业总产值与 1990 年相比：哈萨克斯坦下降 50%，吉尔吉斯斯坦下降 38%，塔吉克斯坦（因内战）下降 64%。1996 年中亚经济初步止住下滑局面，1997 年稍有增长，1998 年亚洲金融危机又使中亚经济遭到打击，1999 年开始好转，1999 年农业产值与 1991 年相比，下降幅度高低不等。哈萨克斯坦下降 29%，乌兹别克斯坦和吉尔吉斯斯坦均下降 1%，塔吉克斯坦下降 35%；土库曼斯坦 1998 年农业总产值与 1991 年相比下降 26%。乌、吉两国因水利设施相对好一些，用水基本上得到保证，因此农业总产值是中亚五国中下降幅度最小的。2000 年中亚国家经济形势进一步好转，各国基本上度过了独立后最困难的时期。但是，经过 10 年的努力，中亚国家经济总体上仍未达到 1990 年的水平。据推算，1999 年哈萨克斯坦人均国内生产总值为 1 420 美元，乌兹别克斯坦为 700 美元，吉尔吉斯斯坦为 403 美元，塔吉克斯坦为 167 美元，土库曼斯坦为 629 美元。从经济发展水平和经济状况分析，中亚国家仍属发展中国家。下面根据所收集到的资料，简要地介绍水利工程对中亚各国经济和社会发展的促进作用。

3.2.1 乌兹别克斯坦灌溉农业和水电的发展

乌兹别克斯坦气候干旱，3/4 的土地是草地、沙漠和半沙漠。灌溉在农业生产中占据十分重要的位置。灌溉农业在该国有悠久的传统，农业生产集中在自然和灌溉条件优越的盆地，种植业产量的 95% 是在灌溉耕地上生产的。1996 年水浇地面积达到 650 多万 hm^2（包括耕地和草场）。没有灌溉，乌兹别克斯坦就不存在有效益的农业。

在 20 世纪初，乌兹别克斯坦的农业十分落后。由于地表水径流的不规则，河流的月径流量和年径流量的变化使得供应居民生活和经济所需的用水都非常困难。经过在苏联期间近 70 年的水利工程建设，乌兹别克斯坦现在共有 50 座大型水库[35]，总库容为 190 亿 m^3，其中 21 座水库位于锡尔河上，库容为 140 亿 m^3；29 座位于阿姆河上，库容为 50 亿 m^3。目前，有 6 座坝高超过 15 m 的大坝正在运行中。全国正在建设的最高的坝为 188 m，位于苏尔汉河上。全国建设了 1 460 座水泵站。随着南饥饿草原大灌渠、安集延调水灌溉工程、纳曼干大灌渠、卡尔希调水灌溉工程相继建成投产，灌溉面积不断扩大。乌兹别克斯坦全国共有灌溉面积 450 万 hm^2 左右，约占国土面积的 10%；人均灌溉面积约 0.17 hm^2。农业生产取得了长足的进步，经济实力显著增强，社会领域的物质技术基础有了相当大的发展，居民生活水平明显提高。1990 年同 1913 年相比，农业产值增加了 10 多倍。总的来说，农业在该国的经济中仍占有重要地位。

乌兹别克斯坦主要的灌溉作物是棉花、小麦、草料、水稻、蔬菜和水果。在耕地总面积中约 150 万 hm^2 种植棉花[36, 37]，约 150 万 hm^2 种植粮食，另外约 150 万 hm^2 种植蔬菜和水果。在过去的几十年中，作物的平均产量不同程度地保持稳定。在中部和南部，大约 70 万 hm^2 的农田正在种植双季作物，主要的双季作物是草料(40 万 hm^2)，与水果和小麦保持平衡。乌兹别克斯坦曾是苏联最主要的棉花生产基地，这也是苏联"劳动分工"所规定的。1960 年，乌兹别克斯坦棉花播种面积为 138.7 万 hm^2，占乌兹别克斯坦全部农作物播种面积的近一半。子棉产量为 282.4 万 t，占全苏棉花总产量的近 70%。1986 年棉花播种面积为 205.4 万 hm^2，仍占农作物播种面积的 50%以上，子棉产量达 510 万 t，占全苏棉花总产量的近 70%。独立前该国子棉最高年产量曾达 623.7 万 t(1980 年)，1990 年降为 505 万 t。苏联解体后，乌兹别克斯坦成为世界第四大产棉国，但棉花产量有所下降，1999 年降至 320 万 t，比独立前的最高产量下降 41%，比 1991 年下降 21%。现在每年平均产子棉 400 万 t 左右，皮棉出口量在美国之后居世界第二位，素有"白金王国"之称。乌兹别克斯坦是世界上惟一盛产棉花而无现代化纺织工业的国家，由于加工能力有限，乌兹别克斯坦每年只能加工皮棉产量的 10%~15%,80% 以上的棉花都须外销。棉花是乌兹别克斯坦出口的拳头产品,是乌兹别克斯坦主要的外汇来源。据联合国粮农组织统计,近几年里,乌兹别克斯坦棉花的出口量平均每年约 100 万 t,出口额达到 16 亿~18 亿美元。乌兹别克斯坦虽是农业大国,但人口密度大,耕种面积小,粮食不能自给。1960 年粮食播种面积为 89.4 万 hm^2,产量只有 70.4 万 t,1990 年分别为 70 万 hm^2 和 204.6 万 t,而乌兹别克斯坦每年粮食需求量至少为 500 万 t,因此大量粮食须靠调入或进口。这是乌兹别克斯坦经济中的一个致命弱点。独立后,该国改变种植结构,扩大谷物播种面积。1993 年,政府颁布了增加粮食产量的决议,粮食种植面积由 1991 年的 108 万 hm^2 增至 1995 年的 167 万 hm^2,因此粮食产量显著增长,1991 年其粮食产量为 190.8 万 t,1999 年达到 432 万 t 以上,增长 1 倍多。该国领导人称其粮食已基本实现了自给。1999 年乌国内生产总值为 97.5 亿美元,粮食产量为 460 万 t。近几年来粮、棉产量均保持在 370 万 t 左右。

乌兹别克斯坦 2003 年的粮食作物播种面积增加了 16.7%,达到 178.9 万 hm^2;其中,小麦的播种面积增加了 17.5%,达到 150.7 万 hm^2;水稻的播种面积增加了 80%,达到 11.92 万 hm^2。2003 年共收获粮食 626.2 万 t,比 2002 年增加 8.1%。子棉产量为 285.6 万 t,比 2002 年减产近 40 万 t,是近 10 年来产量最低的一年。

乌兹别克斯坦经济上可开发的水电潜能估计为 100 亿 kW·h,现已开发了 58 亿 kW·h,占 52.7%。

乌兹别克斯坦主要的能源是天然气、煤、油和水电。1998 年初[38],电站的装机容量是 1 130 万 kW,其中水电装机容量为 171 万 kW,运行的水电站总数为 40 座。1997 年的年发电量为 64.2 亿 kW·h,占全国总发电量的 14%,但较 1993 年的 73 亿 kW·h 的年发电量有所减少,这是由于阿姆河及锡尔河流域的输水设施缺乏联合管理的运行规划,以及整个经济衰退造成的。装机容量 70.6 万 kW 的恰尔瓦克水利枢纽是乌兹别克斯坦最大的水电站,其水库的有效库容 15.8 亿 m^3,是奇尔奇克河径流的季调节水库,可灌溉发电,为乌兹别克斯坦和哈萨克 45 万 hm^2 灌溉土地的供水提供保证。

锡尔河上装机容量为 12.6 万 kW 的法尔哈德水电站仍在运行,其水利枢纽保证了乌兹别克／塔吉克斯坦和哈萨克 70 万 hm^2 土地的自流灌溉。

在阿姆河上的秋雅穆云水利枢纽电站装机容量为 15 万 kW，在卡拉达里亚河上的安集延水利枢纽电站装机容量为 14 万 kW，这两座水利枢纽有效库容分别为 52.7 亿 m^3 和 16 亿 m^3，它们主要是保证乌兹别克斯坦和土库曼斯坦生荒地的灌溉用水。奇尔奇克河流域的 4 座梯级水电站位于乌兹别克斯坦电力系统主要用户的附近，能使河川径流动能得到补偿，以满足电力系统最大尖峰负荷的要求。这些水利枢纽的安全运行对乌兹别克斯坦的工农业生产起着举足轻重的作用。

3.2.2 卡拉库姆运河对土库曼斯坦的经济发展功不可没

土库曼斯坦面积 48.81 万 km^2，沙漠占土地面积的 80%[39]。境内著名的卡拉库姆沙漠是世界第四大沙漠。土库曼斯坦属大陆性干燥气候，夏季酷热少雨，冬季寒冷干燥，空气湿度低，年降水量少。降雨主要集中在春季和山区。年降水量山区为 300 mm，东部沙漠区仅 80 mm。主要河流有阿姆河、捷詹河、穆尔加布河和阿特列克河等。河流主要分布在东部，而耕地位于南部、东北部和西部，故这些河流的水利意义不大，水资源严重短缺。全国水资源总量[40]仅为 250 亿 ~ 260 亿 m^3，而且其主要水源就是卡拉库姆运河的引水。该运河每年从阿姆河引水 120 亿 ~ 130 亿 m^3，约占土库曼斯坦现有水资源总量的 50%。卡拉库姆运河原本是苏联时期人工开凿的运河(канал)，而现在土库曼人把它改名为卡拉库姆河(река)。卡拉库姆运河穿过 300 km 无水的卡拉库姆沙漠，沿途经过拜拉姆 - 阿里、马雷、捷詹、阿什哈巴德、涅比特达格到达里海沿岸的克拉斯诺沃茨克。1981 年第四期工程结束，运河全长超过 1 300 km，绵绵不断地把阿姆河的水输入到土库曼广袤的大地，灌溉着沿运河两岸 125 万 hm^2 的土地，约占土库曼斯坦现有灌溉土地的 95.2%，成为世界上最大的灌溉和通航运河之一。

早在 1975 年，即运河第三期工程尚未完成时，沿运河两岸就发展和扩建了约有 50 座城市(包括土库曼斯坦首都人口 68 万的阿什哈巴德和所有 5 个州的首府)和城市型集镇，吸引了大批移民来运河两岸安居乐业，当时就居住着全国一半以上的人口；1981 年卡拉库姆运河范围内完全保证用水的灌溉面积为 60.12 万 hm^2。灌溉面积的增加使得棉花的种植面积增长和产量增加。1980年运河灌区的棉花产量为50.36万t，是1958年的3.5倍，小麦单产达到7 000～8 000 kg/hm²。在土库曼斯坦的荒漠地区，没有最佳的灌溉条件，小麦的产量是不可能达到如此高的水平的。在运河干线建成后，20世纪80～90年代土库曼斯坦加强了支渠、斗渠、农渠和毛渠的建设，使得运河的引水灌溉面积不断扩大。运河两岸变成了土库曼斯坦实实在在的粮仓，也是土库曼斯坦的经济命脉和政治中心。

农业原本是土库曼斯坦经济的薄弱环节[41]。在1913年，农作物播种总面积只有31.81万lm²，不到国土面积的0.7%。"十月革命"胜利后，1924年土库曼以加盟共和国的形式加入苏联，经过近70年的水利工程建设，特别是由于卡拉库姆运河的兴建，开垦了大片的处女地和生荒地，使得荒芜的沙漠中出现了一片片绿洲，从而使得土库曼斯坦的农业有了很大的发展。1980年的作物播种面积比1913年增加了2倍，农业产值比1940年增长3.9倍。据世界银行的统计资料，土库曼斯坦现有耕种面积174.4万hm²，且均为灌溉面积。1990年农业总产值占国内生产总值的37.5%。主要农产品有棉花、小麦、稻米、瓜果和蔬菜等。

棉花是土库曼斯坦的传统经济作物，也是世界棉花的主要出口国之一。棉田占该国耕地面积的一半以上。1990年棉田面积曾达到62.5万hm²，占农作物总播种面积的50.6%，子棉产量达145.7万t，其中80%是卡拉库姆运河灌区生产的。1991年独立后，同咸海流域其他国家一样，经济开始下滑，随后几年经济继续恶化，物价飞涨，老百姓生活水平大幅度下降，直到1996年才稍有好转。独立后，针对本国农业落后、特别是粮食生产落后的状况，制定了粮食生产发展纲要，调整了粮棉种植面积的比例，促进农业全面协调发展。1992年，谷物种植面积比1990年增加76.5%，同时压缩棉田9%，1992年粮食产量由1990年的44.9万t增至73.7万t，增长64.1%；同年，棉花产量由1990年的145.7万t减为130.1万t，减少10.7%。1997年，土库曼斯坦的粮、油、肉、奶、蔬菜的自给率已达到70%。1998年粮食产量达到124万t，自给程度提高到90%。1999年土库曼斯坦国内生产总值17万亿马纳特，约32.7亿美元，人均国民生产总值629美元，比1998年增长了16%，其中工业占32%，农业占26%。农业生产总值6万亿马纳特，约 11.5 亿美元,棉花产量 130.4 万 t,接近其在苏联时期的最高产量 145 万 t。土的棉花单产约为 3 000 kg/hm^2。2003 年,工业产值达到 50.79 亿美元,农业产值为 27.51 亿美元。应该说,土库曼斯坦工农业能有这样的成就,与卡拉库姆运河的建设是分不开的。

关于卡拉库姆运河,我国曾有人说了这样一段话[42],且几次被别人引用过。这段话是:"从 1954 年开始,为了实施其雄心勃勃的开发中亚地区的规划,在土库曼卡拉库姆沙漠中修建卡拉库姆运河,全长 1 400 km,计划每年可从阿姆河调水到西部灌溉 350 万 hm^2 的荒漠草场和 100 万 hm^2 的新农垦区,并改善 700 万 hm^2 草场的供水条件,使运河沿线地区成为土库曼斯坦一个以棉花为主的农业基地。但这样大规模地开发规划,不作科学论证和环境影响研究就动工了。结果,由于从阿姆河引水过多,并过量开采地下水,使阿姆河下游的水位急剧下降,湖面发生明显变化,咸海比原来的海岸线后退了 10~20 km。咸海水面缩小以后,周围地区的地下水位也随之降低。水源减少的结果,使咸海周围地区形成干枯地带,在风力作用下,形成严重的黑风暴,荒漠化迅速发展;与此同时,由于湖水干涸,湖底盐碱裸露,'白风暴'(含盐的风暴)接踵而来,导致了空前的生态灾难,这项宏伟计划不得不以失败而告终。"其实,卡拉库姆工程早在 19 世纪末就有人提出,从提出设想到 1954 年运河开工建设,其间先后完成了勘测、科研、设计等大量的科研论证工作。加里宁于 1925 年正式提出修建卡拉库姆运河动议后,为稳妥起见,于 1929~1930 年还在博萨加—克尔金建成了一段长 30 km 的试验段[23],并在试验段上还进行了大量的原型观测研究。其次,从提出运河设想到苏联解体,在苏联一些著名的水利机构如全苏水工科学研究院、苏联国家水文研究所、苏联科学院水问题研究所、中亚灌溉科学研究所、苏联科学院土库曼分院等的论文集中,还有苏联一些著名的水科学杂志如《水工建设》、《水资源》、《土壤改良与水利》、《苏联科学院通报(地理学类)》、《莫斯科大学通报(地理学类)》等刊物中,有关卡拉库姆运河的文章随处可见,数以千计。可以肯定地说,到运河正式开工前,所积累的资料不说用火车装,但用一两辆汽车是装不完的。就是现在苏联解体了,有关该运河的文章在俄罗斯的杂志上也能找到不少。怎么能说"不作科学论证和环境影响研究就动工了"呢？从土库曼斯坦农业所取得的成就来看，也不能说卡拉库姆运河"不得不以失败而告终"。

然而事物都有两面性，当初，苏联在兴建卡拉库姆运河时，采用带水施工法进行施工，亦即先挖一条引水河，然后从上游向引水河充水，充满水后用挖泥船开挖到设计尺寸。也就是说用这种方法开挖运河，虽然施工进度快，但无论是边坡还是河底，都没有做任何防渗护面。致使运河投入运行后每年有大量的水白白地渗漏在卡拉库姆沙漠中。据估算，每年有 40% ~ 45% 的引水量，亦即 50 亿 ~ 55 亿 m^3 水在输水途中损失掉了，这对咸海来说是个巨大的损失。卡拉库姆运河也因此成为世界上最有争议的调水工程之一。早在苏联时期就是环保和水利部门的论战题目。环保工作者和莫斯科大学地理系的学者认为，卡拉库姆运河给咸海带来了生态灾难；而水利工作者和经济专家认为，卡拉库姆运河是发展中亚经济特别是土库曼经济的不可替代的工程。苏联解体后，关于卡拉库姆运河的论战调子更高了，哈萨克斯坦、乌兹别克斯坦和俄罗斯的专家大谈咸海的生态灾难，而土库曼斯坦的专家则说咸海水位下降是多方面因素造成的，锡尔河流入咸海水量的下降程度比阿姆河更大。

客观地说，卡拉库姆运河对土库曼斯坦的经济发展功不可没。假如没有卡拉库姆运河，很难想像今天的土库曼斯坦会是个什么样子，会不会成为一个拥有 500 万人口的主权独立的国家都很难说。然而卡拉库姆运河的输水损失实在是太大了，仅此一项的人均损失达到 1 000 ~ 1 100 m^3，难怪土库曼斯坦人均耗水量达到 5 000 m^3 多。因此，卡拉库姆运河必须要进行彻底的改造，以节省十分宝贵的水资源。

2000 年 9 月[43]，土库曼斯坦总统签署了一项法令，决定在卡拉库姆沙漠修建一个巨大的人工湖，以提高棉花产量。根据专家预测，这个项目会带来难以预料的生态环境问题。该工程将耗资 45 亿美元，在 10 年内，每年将消耗 10% 的国民生产总值。同时，还需要投入大量资金来恢复现有的灌溉系统。

3.2.3 水利工程支撑着吉尔吉斯斯坦经济的发展

吉尔吉斯斯坦是一个山地小国[44]，90% 以上的领土面积在海拔 1 500 m 以上。全国共有 3 500 条大小河流[45]，分别属于锡尔河、阿姆河、楚河、塔拉斯河、伊犁河、塔里木河和伊塞克湖流域。天然年均总径流量 445 亿 m³,但是容许吉尔吉斯斯坦使用的水资源限量仅为 119 亿 m³,这还是在苏联时期确定的限量。当时主要是根据全苏联的利益,优先给中亚各国种棉花的地区供水。经过近 70 年的水利工程建设,吉尔吉斯斯坦现在属于国有的灌溉渠道系统共有 632 项,干线渠道和配水渠总长 6 200km,灌溉着 43 万 hm² 的土地。这些渠道在河流中有固定的取水建筑物,能够排放洪水流量,防止泥沙淤积,保证从水源中取水灌溉。一些渠道主要用装配式混凝土和整浇混凝土做了防渗护面。水利司管理着 62 座水泵站(此外,全国各国营农场和集体农庄共有 182 座泵站),抽水灌溉面积为 5.17 万 hm²,有 34 座水库和约 400 个日或旬调节的灌溉蓄水塘,其总容量约 20 亿 m³。有 636 km 跨农场(或跨国)排水干渠和 4 800 km 的农场内的集排水管网。这些水利基础设施为农业生产打下了坚实的基础。

农业在吉尔吉斯斯坦国内生产总值中的比重一直超过工业生产的比重[46]。自 20 世纪 60 年代起,随着灌溉渠道的建设,耕地面积不断扩大,现有耕地总面积约 120 万 hm²。粮食生产大幅度增长。1950 年粮食产量为 43.4 万 t,1960 年增至 75.4 万 t,1985 年达 147.7 万 t,1989 年为 164.48 万 t。经济作物以甜菜为主。甜菜是中亚惟一的糖料作物,吉则是中亚最大的甜菜生产国,产量占中亚的 90% 以上。1989 年吉尔吉斯斯坦产糖 41.48 万 t,当时人均占有量为 90 多 kg。1991 年独立后,经济开始下滑,随后几年经济继续恶化,如果以 1995 年与独立前的 1990 年相比,吉尔吉斯斯坦国内生产总值下降 50%,直到 1996 年情况才稍有好转。1999 年吉尔吉斯斯坦工、农业生产总值在 GDP 中的比重分别为 18.3%、38.2%。吉尔吉斯斯坦 3 年来(1997~1999 年)粮食作物的播种面积均超过耕地总面积的 1/2。粮食作物以小麦为主,1997 年和 1998 年,其播种面积都在 50 万 hm² 以上。1999 年粮食产量为 163 万 t,比 1991 年的产量(137.4 万 t)增长 26 万 t;其中小麦播种 48.27 万 hm²,年产 110.91 万 t(每公顷单产 2 298 kg)。其他粮食作物还有玉米、燕麦和水稻。吉尔吉斯斯坦南部出产棉花,1999 年原棉年产达到吉尔吉斯斯坦独立后最高点 86 900 t(每公顷单产 2 500 kg),每年也有相当比例的出口。2002 年吉尔吉斯斯坦小麦获得丰收,产量达到 157.38 万 t,经济作物的产量普遍比

2001 年有明显减少。吉尔吉斯斯坦农业、水利与加工工业部在谈到 2010 年前该国的农业政策时说，吉尔吉斯斯坦必须大幅缩减粮食作物的种植面积，并逐渐将每公顷的产量提高到 5 000 kg。按照该政策的构想，2010 年粮食作物种植面积不超过 50 万 hm^2，而粮食产量提高至 250 万 t。吉国计划保留 10% ~ 20% 的良种培育场，进行优良种苗的繁育工作，其余的为私营良种培育场。由于吉国南部耕地有限，因此棉花种植面积应稳定在 3.4 万 ~ 3.7 万 hm^2 的水平上。要提高子棉的总产量，首先应提高它的单产量，到 2010 年吉尔吉斯斯坦棉花产量应达到 14 万 t 以上。

吉尔吉斯斯坦是咸海流域中两个水电资源极为丰富的国家之一。吉尔吉斯斯坦的主要经济支柱是水力发电业[25]，技术上可开发的水能资源为 729 亿 kW·h，有经济开发价值的为 480 亿 kW·h，现已开发 90 多亿 kW·h，占 18.7%，水电站装机容量为 270 万 kW，占该国电力装机总容量的 79.4%；1999 年电力工业产值占该国工业总产值的 12.8%。最近几年吉国的年发电量一直保持在 120 亿 ~ 140 亿 kW·h，1999 年发电量 131 亿 kW·h。其中 15.3% 出口到周边独联体国家。水电资源能使吉尔吉斯斯坦每年获得 6.4 亿美元。但是，中亚地区国家之间的利益冲突很有可能使吉尔吉斯斯坦发展水力发电的规划落空。很有意思的是，吉尔吉斯斯坦生产的电能是由位于乌兹别克斯坦境内的配电站控制输送的，如果乌兹别克斯坦认为有必要，就完全可以切断送往吉尔吉斯斯坦南部地区的电力。在这种情况下，吉尔吉斯斯坦南部无法得到自己生产的电力。此外，吉尔吉斯斯坦的电能销售也很有可能出问题。

吉尔吉斯斯坦近期水力发电的主要任务是建设卡姆巴拉金 1 号水电站，它是吉装机容量最大的水电站，不仅其本身有很大的经济效益，对淹没区的影响很小，而且可改善下游现有的托克托古尔、库尔普赛依、沙马尔兑萨伊、塔什库梅尔等水电站的运行工况。

考虑到灌溉的重要性，从 1996 年起，国家加强了发展计划的研制和吸引国际贷款的措施，1998 年 10 月开始实施"灌溉系统的改造"方案，该方案的目的是恢复灌溉面积为 35 万 hm^2 的 48 个灌溉系统和 12 座大型水库的功能，还打算修建卡拉布林水库，计划 6 年完成。1996 年 6 月开始实施"洪水情况下的非常措施"，2002 年实施"农场内的灌溉"方案。这三项工程总造价 8 500 万美元，其中贷款资金 6 500 万美元，预算资金 2 000 万美元。

此外，吉尔吉斯斯坦于 2001 年通过有关水资源利用的法律，旨在协调解决向其他主权国家提供水资源的问题，明确水资源是商品，规定从吉尔吉斯斯坦获得水资源的国家(哈萨克斯坦和乌兹别克斯坦)应支付费用。

综上所述，我们可以看出，灌溉农业是吉尔吉斯斯坦农业生产的基本形式，而水力发电是吉尔吉斯斯坦的电力主体，也是整个工业的支柱产业。因此，水利工程是吉尔吉斯斯坦经济发展的动力源泉。

3.2.4 塔吉克斯坦水资源的开发与利用

在中亚五国中，塔吉克斯坦有一个独特的有利条件[47]，即水资源丰富，水电资源的人均拥有量居世界前列。塔吉克斯坦境内 500 km 以上的河流有 4 条，100～500 km 长的河流有 15 条，10 km 以上的河流947 条，总长度超过 28 500 km，全国河川多年平均径流量为 640 亿 m^3，占咸海流域水资源总量的 55%。主要河流有：阿姆河、锡尔河、瓦赫什河、喷赤河、泽拉夫尚河。高山上的冰川是河流的主要水源。境内60%的径流量汇入阿姆河，34%汇入锡尔河。在塔境内大约有 1 300 个湖泊，湖泊水面面积和冰川面积共计有 1 万多 km^2，约占全国总面积的7%。此外，现有 9 座大型水库[48,49]，总库容 153 亿 m^3，占咸海流域河流多年平均水资源总量的 13.2 %，在尚未开发的喷赤河上有 10 多个能形成大水库和水电站的坝址，总库容可达 361 亿 m^3，有效库容 174 亿 m^3。再加上正在继续施工的罗贡等水库，其总库容达到 668 亿 m^3，其中有效库容 356 亿 m^3，占咸海流域河流年均径流量的 30%。这可以大大改善咸海流域(特别是枯水年份)的用水保证率。由于许多河流水位落差大，塔吉克斯坦拥有取之不尽、用之不竭的水电资源 5 270 亿 kW·h，技术上可开发的水电资源为 1 436 亿 kW·h，有经济开发价值的为 850 亿 kW·h，开发前景十分广阔。塔吉克斯坦已在瓦赫什河和喷赤河上修建的一系列水电站，构成塔吉克斯坦电力的基础。现开发 169 亿 kW·h，占 20%，水电站装机容量为 400 万 kW，占该国电力装机总容量的93%。水力发电[50]占国内能源总量的80%。

1936 年开始建设的瓦尔佐布水电站[50]，装机容量 2.5 万 kW，于1952 年建成，标志着水力发电建设迈出了第一步。同年，第一条 35 kV

输电线路建成，把瓦尔佐布水电站和位于杜尚别的主变电站联在一起。这条线路的建成揭开了全国电网建设的序幕。而在瓦尔佐布梯级电站建成以前，塔吉克斯坦的电力总装机容量仅为 690 kW。

在位于南部地区的瓦赫什河上，1957～1965 年间，开始进行了梯级开发，共分 3 级，总装机容量 25.8 万 kW。1958 年，装机容量 3 万 kW 的帕里潘纳亚一级电站运行发电。梯级中装机规模最大的三级站格罗夫纳亚水电站 1963 年建成，总装机容量达到了 21 万 kW。1964 年建成了二级电站中央水电站，装机容量 1.8 万 kW。

最大的水力发电站是位于瓦赫什河的努列克水电站，于 1979 年投入运行，总装机 300 万 kW，年平均发电量 112 亿 kW·h。

此外，塔吉克斯坦目前小水电装机容量增加了 1.54 万 kW。至此，塔吉克斯坦共有 17 座小水电站，总装机 3.14 万 kW，年平均发电 1.3 亿 kW·h。到 2001 年，塔吉克斯坦的电力总装机容量达到 441.2 万 kW，年发电量 143.36 亿 kW·h，其中 98%以上为水力发电。

随着塔吉克斯坦经济的恢复性发展，电力供应缺口不小，尤其是冬季，水力发电受到水库水位等制约，发电量减少，用电特别紧张。在国内资金十分紧缺的情况下，为缓解供电紧张状况和今后电力出口，塔国政府决定继续修建水电站，将建设中的桑格图达水电站(总装机容量 89 万 kW)和罗贡水电站(总装机容量 360 万 kW)列为 2000 年重点投资工程项目。据英国媒体报道，塔吉克斯坦与俄罗斯公司 2002 年签订了继续建设罗贡水电站的协议。专家认为完成这项工程将使塔吉克斯坦和中亚的用水和能源供应情况得到很大改观。

在谈到塔吉克斯坦的水电能源情况时，阿基洛夫总理指出，成立国际水电能源康采恩，合理使用和解决水电能源问题是关系到塔吉克斯坦经济继续发展和国家安定、协调和合理利用水资源、保护整个中亚地区环境的大事，解决这些问题不应该只停留在口头上，而应该切实重视起来，要具体落实和实施。他责成塔国有关部门迅速对此制定具体计划和措施，以确保该项工作得以顺利进行。

"十月革命"前，塔吉克斯坦农业生产极其落后[47]。1913 年粮食产量只有 20.2 万 t；1960 年以后，由于一大批水利工程的建设，灌溉面积迅速扩大，该国农业有了较大发展。农业成为第二大物质生产部门，在国民经济中占有重要地位，其产值占国内生产总值的 1/3 以上。绝大部分地区的种植业必须依靠灌溉。在灌溉有保证的情况下，各种作物都能获得好收成。一些地区一年可种两三茬农作物。塔吉克斯坦的农业用地比较紧缺，可耕地仅占 7%。从 1930 年起，由于苏联政府推行农业集体化和大力提倡种植棉花，在塔西南部地区的瓦赫什和卡菲尔尼甘两河流域大量种植棉花。据 1989 年统计，各类农用地面积为514 万 hm^2，其中耕地为 86 万 hm^2，牧场为 345 万 hm^2。1989 年皮棉总产量为 30.8 万 t，人均占有棉花 57.8 kg。1998 年，塔吉克斯坦的农用地面积减少到约 410 万 hm^2，其中耕地为 82.8 万 hm^2，草场 2 万 hm^2，牧场为 330 万 hm^2。

塔吉克斯坦农业在苏联的"劳动分工"中主要是发展植棉业和畜牧业。全国 2/3 人口在农村。在 80 多万 hm^2 的农作物播种面积中，棉花播种面积占 40%，粮食作物占 23%，饲料作物占 30%。自 20 世纪60 年代起，塔国曾是苏联最主要的棉花产地之一。棉花以单产高、纤维细和质量好而著称。由于扩大灌溉面积和改进耕作技术，棉花单产和总产量迅速增长。1960 年子棉产量为 40.6 万 t，1989 年产量达到 92.25万 t，单产居全苏第一位，每公顷为 868 kg（1991 年）。粮食作物集中在北部河谷和山前地带种植。80 年代中期至独立前，粮食生产一直在 30万 t 左右徘徊，粮食长期不能自给，只能靠进口粮食补充。

塔吉克斯坦独立后，农业生产和整个经济一样，陷入深刻的危机之中，农业生产全面严重衰退，连年以两位数的速度下降，1995 年和独立前 1990 年相比，农业产值下降了 64%。主要农产品产量、牲畜存栏数和畜产品产量大幅度减少，食品短缺状况更加严重。直到 1996 年情况才稍有好转。1999 年主要农产品产量大幅度增长。1999 年共种植棉花 24 万 hm^2，产量 32 万 t。种植面积比 1991 年减少 17%，收成比1991 年减少 62%。棉花是塔国主要出口产品。1999 年共出口皮棉 9.22万 t，出口计 9 120 万美元，占出口总额的 13.2%。1999 年人均国内生产总值约 180 美元。2001 年塔农业总产值达 1 045 亿索姆尼，同比增长 11%。2001 年塔吉克斯坦生产子棉 45.26 万 t，同比增长 35%，每公顷子棉产量为 1.76 t。2003 年塔吉克斯坦全国子棉产量为 53.7 万 t，同2002 年相比，棉花产量（51.5 万 t）略有增加。

根据《塔吉克斯坦共和国 2015 年前经济发展规划》目标[51]，2015年农业总产值将比 2000 年增长 1.2 倍，达到 8.47 亿美元。在此期间耕种面积只增加 3.3%，所以农业产值的增长将靠提高农作物的产量和畜牧业的生产效率来实现。

2015 年塔国粮食的播种面积将达到 45.4 万 hm^2，占全部耕地面积的52.4%，每公顷耕地将产粮食 2 640kg。按照规划，2015 年塔国将产粮食120 万 t，比 2000 年增加 1.2 倍。2005 年子棉产量将达到 61 万 t，2010年为 75 万 t，2015 年为 85 万 t，价值较高的细绒棉的比例将占 22%~41%。

塔吉克斯坦凭借其境内丰富的淡水资源[49]，主张建立相互合作机制，合理有效利用这一宝贵的自然资源，指望向中亚地区其他国家提供农业灌溉用水和其他用途水源时获取经济利益和其他利益。塔国政府正在采取措施，吸引外资建设水电站，修复农用水利设施，尤其是修复居民清洁饮用水供给设施，完善向中亚水资源消耗国(乌兹别克斯坦和哈萨克斯坦)的供水制度，加强水资源利用方面的国际合作。保护咸海，保护跨界河流和耕地，保护生态环境，造福各国，已经成为包括塔吉克斯坦在内的中亚各国乃至中亚以外地区的共同课题。

3.2.5 水利工程在哈萨克斯坦南部地区的作用

哈萨克斯坦的南部两个州——南哈萨克斯坦州和克兹罗尔达州属于咸海流域。在两州境内主要河流有楚河、锡尔河(在哈境内 1 400 km)及其支流如库尔克列兹河、克列兹河、阿雷兹河、鲍肯河等。两州境内湖泊众多，多为小的咸水湖，主要湖泊有阿克热肯湖、阿克热尔湖、卡尔德果里湖等。在锡尔河上建有沙尔达里尼斯水库(面积 400 km^2，蓄水量 52 亿 m^3)；鲍肯河上建有鲍肯水库(面积 65 km^2，蓄水量 3.77亿 m^3)，巴达姆河上建有巴达姆水库(面积 4.7 km^2，蓄水量 6 150 万m^3)，阿雷兹河上建有别列扎夫斯水库等。

在经济上这两州都是以工业为主[52, 53]，农业占有很大的比例。2000年农业产值共为 579.765 亿坦戈，其中，种植业 368.182 亿坦戈，2001年农业产值 591.462 亿坦戈。两州有 16 个国有农场，35 000 个个体农庄，其农产品的产量占全国总量的 14.4%，两州共有 910 万 hm^2 农业用地，其中有耕地 80 万 hm^2。2001 年粮食作物播种面积 27.06 万 hm^2，产量 51.30 万 t(小麦播种面积 17.57 万 hm^2，产量 26.78 万 t)。

用哈萨克斯坦自然资源和环境保护部水资源委员会主席拉马扎诺夫的话说[54]，在哈萨克斯坦南方地区的工农业生产中，长期以来，托克托古尔水库起着关键性的作用，特别是在水资源短缺的年份更是如此。在苏联解体以前，锡尔河上的所有水利设施被看做是一个相互联系的水利系统，托克托古尔水库起到了主要的调节功能，有效地维持了工农业生产的稳定。苏联解体后，吉尔吉斯斯坦把托克托古尔水库视为私有财产，不与中亚各国复杂的水利综合体协调一致，主要用于生产廉价的电能自用或出口，结果水库冬季放水过多，而到植物生长期灌溉用水不足，使哈萨克斯坦南部地区粮食减产。

3.3 人口的快速增长

由于苏联长期以来一直实行鼓励生育的政策，"英雄母亲"、"光荣母亲"的称号随处可见。苏联的人口政策同中亚各民族喜爱的多子女大家庭的传统习俗及宗教信仰结合起来，形成一种很强的社会意识，极大地促进了各共和国人口的迅速增长。据有关统计资料[55]，中亚地区在全苏联一直保持着最高的出生率和自然增长率。其中以塔吉克斯坦为最高，分别达到 38.7‰和 32.2‰，其次是土库曼斯坦，分别达 35‰和 27.3‰。整个中亚地区的人口从 20 世纪初(1913 年)的 1 287 万迅速增加到 2001 年的 5 753 万，增长了近 3.5 倍。在全苏人口中所占的比例从 1913 年的 8.08%上升到 1990 年的 17.4%。表 3-4 中列出了中亚五国人口的增长情况。

表 3-4　咸海流域人口增长动态[14, 55]　　　　（单位：万人）

年份	哈萨克斯坦	吉尔吉斯斯坦	塔吉克斯坦	土库曼斯坦	乌兹别克斯坦	合计
1939	608.2	145.8	148.5	125.2	634.7	1 662.4
1959	929.5	206.6	198.1	151.6	811.9	2 294.1
1970	1 300.9	293.3	290	215.9	1 177.9	3 278
1979	1 488.4	352.9	380.1	275.9	1 539.1	4 036.4
1989	1 653.2	429.1	511.2	353.4	1 990.6	4 937.5
1999	150[※]	500	600	500	2 400	4 150[※※]
2001	150[※]	500	610	520	2 470	4 250[※※]
2012	150[※]	520	700	610	2 850	4 840[※※]
2025	170[※]	590	830	730	3 380	5 700[※※]

注：※为哈萨克斯坦南部属于咸海流域的人口；※※为咸海流域总人口。

中亚地区的地形地貌和经济发展等因素决定了它的人口分布及构成有以下突出特点：

第一，人口密度很小，平均每平方公里仅 12 人。其中哈萨克斯坦和土库曼斯坦平均每平方公里只有 6.1 人和 7.2 人，只有乌兹别克斯坦人口较密，达到 51.4 人。第二，人口分布极不均匀。山区每平方公里只有 1~2 人，在卡拉库姆沙漠、克孜勒库姆沙漠及哈萨克斯坦中部的荒漠几乎是渺无人烟，而绿洲及大城市周围聚集了大量人口，人口最集中的安集延、费尔干纳和塔什干三个州，平均每平方公里的居民已经分别达到 419 人、308 人和 275 人，吉尔吉斯斯坦首都比什凯克所在的楚河盆地仅占共和国国土的 1/12，却集中了共和国 35% 的人口。第三，20 世纪以来，特别是近二三十年，人口增加迅速。以整个咸海流域（即哈萨克斯坦北部地区除外）为例，到 2001 年，咸海流域共有人口 4 250 万，与 1950 年咸海流域人口 980 万相比，52 年来，咸海流域人口翻了两番还多。第四，20 世纪以来城市化有长足发展。城市人口由原先占人口总量的 10% 左右增长到 40% 左右。70 年代以前城市人口的增长主要来自欧洲地区的移民，70 年代以后主要是共和国内部人口流动的因素。然而，在中亚有些地区，如土库曼斯坦、塔吉克斯坦，由于农村人口的自然增长率大大超过城市人口自然增长率以及俄罗斯人的迁出，近年城市人口的比例有所下降，整个咸海流域，农村人口的比重达到 62%。

"十月革命"前，中亚仅有 700 万人，20 世纪 80 年代发展到 3 600 万，人口增加了 5 倍。这也成为苏联在 70 年代、80 年代报刊上一再宣扬的巨大成就。当时的主导舆论是，如果没有咸海流域的引水工程，这些辉煌成绩就不会有。

应该指出的是，苏联解体后，中亚经济大幅度下滑，各国人口的增长率也从 2.8%~3.2% 下降到 0.9%~1.8%。由于人口的快速增长对食品供应造成了很大的压力，迫使中亚各国加快发展农业生产，以增加粮食供给。但是水资源又非常有限，随着人口的快速增长，人均水资源的占有量、农业灌溉面积及粮食产量都有较大幅度的下降（见图 3-2 和表 3-5）：咸海地区的人均水资源量从 1939 年的 10 000 m^3 下降为 2000 年的 2 807 m^3，人均灌溉面积从 1960 年的 0.32 hm^2 减少到 2000 年的 0.19 hm^2，人均粮食产量从 1956 年的 1 221 kg 下降为 1990 年的 652 kg。预计到 21 世纪中叶，上述各种人均数量还要大大下降。人口的快速增长与生态环境的矛盾将更趋尖锐。

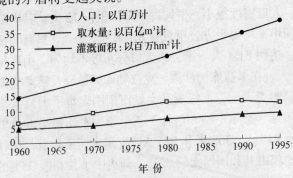

图 3-2　咸海流域人口、取水量、灌溉面积的变化

表 3-5　咸海流域水土资源利用的主要指标

指标	1960 年	1970 年	1980 年	1990 年	2000 年
人口（万人）	1 410	2 000	2 680	3 360	4 150
灌溉土地面积（万 hm^2）	451	515	692	760	799
人均灌溉面积（hm^2/人）	0.32	0.27	0.26	0.23	0.19
总取水量（亿 m^3/a）	606.1	945.6	1 206.9	1 162.7	1 050
其中灌溉用水量（亿 m^3/a）	561.5	868.4	1 067.9	1 064	946.6
每公顷灌溉土地用水量（m^3/hm^2）	12 450	16 860	15 430	14 000	11 850
人均水资源占有量（m^3/人）	8 261	5 824	4 346	3 467	2 807
人均年用水量（m^3/a·人）	4 270	4 730	4 500	3 460	2 530

3.4　咸海流域的用水量

在咸海流域，早在 6 000 多年以前就已开始利用水资源了，20 世纪，特别是 1960 年以后，由于人口的快速增长、工业特别是灌溉农业的发展，用水量大幅度增长。总的来说，咸海流域内灌溉农业占总用水量的 90% 以上。

表 3-6 中列出了自 1960 年以来咸海流域用水量的动态资料。

从表 3-6 中可以看出，咸海流域 1960 年的总取水量为 606.1 亿 m^3/a，而到 1990 年增加到 1 162.7 亿 m³/a，亦即增加到 1.8 倍。在这期间，这个区域人口增加到 2.7 倍，灌溉面积增加到 1.7 倍，而农产品增加到 3.0 倍。

表 3-6　咸海流域用水量动态资料　　（单位：亿 m³/a）

流域	1960 年		1970 年		1980 年		1990 年		1995 年		1999 年	
	合计	灌溉	合计	灌溉	合计	灌溉	合计	灌溉	合计	灌溉	合计	灌溉
咸海	606.1	561.5	945.6	868.4	1 206.9	1 067.9	1 162.7	1 063	1 058	967.2	1 049.6	946.6
阿姆河	309.7	285.5	532.2	492.8	669.5	603.5	692.5	651.5	643.9	607	660.8	595.7
锡尔河	296.4	276	413.4	375.6	537.4	464.4	470.2	412.5	414.1	360.2	388.8	350.9

根据有关部门的统计资料[14]，咸海流域水资源的主要用途为：①约 92%用于灌溉；②3.5% ~ 4 %用于供应公共饮水和城镇公共事业；③约 1.5%用于农业供水；④约 2%用于工业用水；⑤0.5%用于其他用途，包括养鱼。

由此我们可以看出，农业灌溉是最大的用水户，其他部门的用水可以忽略不计，解决了农业灌溉问题就完全解决了咸海流域的水资源短缺问题。因此，这里只分析农业灌溉的用水情况。

在 20 世纪 20 ~ 40 年代，在锡尔河流域的棉花种植区，年用水量为 120 亿 ~ 130 亿 m³/a，这相当于该流域水资源量的 34% ~ 38%[18]。50 年代，随着灌溉面积的增加，灌溉用水量也在增加。但是由于山区来水量增加，径流消耗量虽有提高，但幅度不大。60 年代，在锡尔河流域，用水量增加到 276 亿 m³/a，占该河水资源总量的 74%。总体来说，锡尔河流域取水量从 20 世纪 50 年代前半期的 231 亿 m³ 增加到 70 年代末的约 500 亿 m³，亦即增加到 2.16 倍。1980 年，锡尔河的水资源量消耗了 537.4 亿 m³。也就是说，早在 1980 年锡尔河的水资源就已消耗殆尽。在阿姆河流域，直到 50 年代末，径流的总消耗量一直比较稳定，取水量为 212 亿 ~ 238 亿 m³，最大取水量占水资源总量不足 50%。60 年代由于几条大运河的相继运行，水资源消耗量大幅度增加，1970 年取水量达到 532.2 亿 m³，占水资源总量的 67.1%，1975 年取水 600.8 亿 m³。阿姆河流域从 40 年代末取水 161 亿 m³/a 增加到 70 年代末的

669 亿 m³/a，亦即增加到 4.16 倍，占该河水资源总量的 84.3%。在泽拉夫尚河和卡什卡达里亚河流域取水量相应地增加到 1.9 倍和 1.7 倍。

在 70 年代下半期，在锡尔河流域、阿姆河流域、泽拉夫尚河流域和卡什卡达里亚河流域的总取水量为 3 462 m³/s（1 090 亿 m³/a），这比这些河流流域所统计的地表水资源（保证率为 50% 的年份）的总量还要多 30 亿 m³/a。

在锡尔河和阿姆河流域总的径流的消耗中，20 世纪 40～50 年代达到水资源总量的 41%～43%，60 年代增加到 52%，而到 70 年代末达到 81.2%。与 40 年代相比，60 年代水资源消耗量每年增加 170 亿 m³/a，而到 70 年代末实际上增加了 1 倍。因为在所研究的时段内，从山区的来水量几乎是一样的，所以，径流消耗量的增加主要是人为因素引起的。然而，河流流域各灌溉区径流消耗量是很不一样的。

灌溉面积的增加，无疑要导致灌溉用水量的增加。但是，各灌区用水量的动态分析表明，在锡尔河流域的上游（费尔干纳河谷和恰吉尔），20 世纪 50 年代的灌溉面积比 20 年代增加了 80%，而同期径流消耗量几乎没有增加，实际上维持在原有的水平。同样的情景也出现在阿姆河流域的上游，直到 1960 年以前，该河上游的灌溉面积增加了 41%，而用水量只增加了 12%。

两河的中游与上游相比有很大的不同，在中游灌溉的发展伴随着径流消耗量的增长。在锡尔河流域，20 世纪 20 年代与 70 年代相比，灌溉面积增加到 10.8 倍，而径流消耗量增加到 3.9 倍，阿姆河中游相应地为 5.3 倍和 2.8 倍。在锡尔河下游，60 年代和 70 年代的用水量实际上维持在 20～50 年代的水平，而在阿姆河下游却大大增加了。

总体来说，直到 1960 年以前，虽然阿姆河和锡尔河流域灌溉面积增加很多，但径流消耗量相对来说增加不多（与 1931 年相比灌溉引水量增加 1 倍），但没发现咸海水位有任何下降的趋势。研究表明[56]，1960 年前灌溉面积虽然增加很多，但开发的都是沿河两岸的土地，引水路线短，加上灌区修建排水系统并增加农田排水量，除了植物的蒸腾损失外，引水沿途的渗流损失一般都能回归到河道中。因此水量损失不大。

但是，1960 年以后开始在远离河流的高地开发处女地，输水距离远，加之大量的灌溉水渠都没有做防渗护面，渗流损失大。因此，所谓的回归水也随之消失。正如对灌区水量平衡深入研究所表明的那样，发展灌溉伴随而来的是不可回归的水量损失增加。例如，1980 年，在阿姆河流域灌溉了 300 万 hm^2 的土地[57]，因各种用途从阿姆河中共取水约 669.5 亿 m^3，其中 406 亿 m^3 没有回归。而平水年该河的年计算径流量仅为 586 亿 m^3。咸海流域的径流是靠努列克、秋雅穆云等水库来保证季调节。同年锡尔河流域灌溉了 290 万 hm^2 的土地，因各种用途从锡尔河中共取水约 537.4 亿 m^3，其中 275 亿 m^3 没有回归。而平水年该河的年计算径流量仅为 236 亿 m^3。锡尔河流域的径流是靠凯拉库姆、恰尔达拉和托克托古尔等水库来调节的。

1960 年以前，整个咸海流域灌溉了约 500 万 hm^2 土地，为此每年从两河(阿姆河和锡尔河)取水 404 亿 m^3(8 200 m^3/hm^2)，矿化度为 0.3 ~ 0.7 g/L；而到了 1985 年，为了灌溉 693 万 hm^2 土地，取水量增加到 1 066 亿 m^3(15 382 m^3/hm^2)。换句话说，灌溉 200 万 hm^2 新开垦的土地，每公顷土地需要比 1960 年以前多消耗 1 倍多的用水量(见表 3-2)。更离奇的是，到 1990 年，灌溉面积仅比 1985 年增加 67 万 hm^2，而灌溉用水量却整整增加 200 亿 m^3，这 67 万 hm^2 土地平均每公顷需要用水 29 850 m^3。这太不可思议了。

就灌溉用水量来说，与发达国家相比，咸海流域各国是比较多的。据报道，在苏联时期，由于灌溉渠道不完善，中亚各国调水灌溉的用水效率仅为 0.55。水资源的利用很不合理且非常低效。苏联解体后，一度变成无政府状态，用水效率就更低了。

由于该地区的干旱气候，在大部分地区，农作物必须灌溉，许多灌溉和排水建筑物是 1950 ~ 1980 年中央计划经济的产物，为了在荒漠和草原上开垦土地，在那个年代建筑了大量的引水灌溉工程，成千上万人迁移到这些地区进行农业生产。这就要求大量增加用水量——仅乌兹别克斯坦每年的取水量从 350 亿 m^3 增加到 600 亿 ~ 630 亿 m^3。每公顷用水量达到 14 000 m^3，用水效率极低。而像巴基斯坦和埃及这样的国家(用水效率也不高)平均为 9 000 ~ 10 000 m^3/hm^2。

实际上根据某些资料[18]可以判定，早在 20 世纪 70 年代末，咸海流域的灌溉用水就已达到 1 000 亿 m^3 以上，只是在统计报表中没有真正地反映出来。到 1990 年，咸海流域的水浇地在统计报表上为 760 万 hm^2，灌溉用水量为 1 064 亿 m^3。也就是说，自 1978 年以来，仅灌溉一项，每年就耗用 1 000 多亿 m^3，亦即整个咸海流域的水资源被取净用光，以致再无河水进入咸海。这一论点在 A.M. Мухамедов 的文章中得到证实，他说："早在 20 世纪 70 ~ 80 年代[58]，在天然水量、河床径流状况和经济发展需水量之间，产生一种互不协调的矛盾。在保证地区经济和水利公共设施需水量日益增长方面，有很多问题尚未得到解决。为了认清这种状况造成的严重性，这里引用中亚灌溉科研所完成的科研资料中的几个实例。近 15 ~ 20 年来阿姆河和锡尔河取水量增长了一倍。这部分用水量不仅得不到补偿，而且缺水越来越严重。从 1965 年开始，在阿姆河流域，大面积土地由于在冬季和早春几个月内进行保墒灌水和漫灌，因此河床径流被全部引入灌渠内。在枯水年份和罕见的枯水期(1973 ~ 1975 年)内，需水量超过河床径流量，锡尔河水利系统年缺水量约为 70 亿 m^3，阿姆河约为 60 亿 m^3。尽管锡尔河流域的恰尔瓦克、托克托古尔和安集延水库和阿姆河流域努列克及秋雅穆云水库相继投入运行，但是灌区用水量保证率仍停留在原有的水平上，而且缺水量逐年在增加。"

更糟糕的是，在这么大的灌溉取水量中，有 30% ~ 40%(有时还要大得多)是回归水。这种水中含有溶解土壤盐、无机肥、农药、重金属离子等。在这些水中再加上居民点和工农业企业的排水。因此，利用这种没有净化、没有除盐的水，实际上使大量的有害物质重新回到田野里，而且，越往下游，回归水的用量越大且越频繁，而所含有的有害物质就越多。例如，从乌兹别克斯坦流进哈萨克斯坦的水质非常差，含有大量的有害化学成分，严格讲，其水质已同污水无差别，根本就不能用于农业灌溉，而农业灌溉用水的水质直接影响到农作物的产量及质量。

1994 年以后，咸海流域的取用水量出现了明显的下降趋势。1999 年的用水量[15]为 1 049.55 亿 m^3/a，比 1990 年减少 114 亿 m^3/a。用水量下降除了与流域内所有国家经济发展大幅度倒退有关之外，还与谷类作物播种面积增加如像棉花、水稻和饲料牧草这些喜湿类作物的播种面积减少也有关系。在一些国家农业工业的改革过程也是一个重要因素，这种改革使得大量的灌溉土地退出耕种。还应该指出的是，国家监督措施软弱无力导致每年取水量和用水量的官方统计资料可信度下降。特别是实行付费用水制度的国家，实际用水量要比统计报表的资料高一些。在指出上述消极因素的同时，也应该看到，在不同的经济部门，一些用水户努力应用更有效的节水工艺在一定程度上使得用水量减少。

第四章 咸海流域的生态危机及其原因

4.1 咸海水位的下降[59,60]

咸海地区大规模的灌溉开发改变了该地区的水文循环。咸海是个封闭的自我调节水系，其水平衡是河流注入、大气降雨和地下水的供给量与蒸发作用造成的流失量之间的平衡。水量进出变化直接影响海内水位。来水量增加时水位上升，减少时则下降。当然，入海水量减少，不仅仅使水位下降，而且使水面面积减少，使水文、温度、冰情、水生生物等所有要素状况发生变化。咸海位于干旱地区，四周环绕着炙热的沙漠，其注水能力总是受到蒸发作用的严重影响。

咸海的水平衡本来就极易被破坏，加上多年来不合理的开发和滥用水资源，给这一水平衡带来了灾难性的影响。咸海的干涸开始于 20 世纪 60 年代[59]，并于 1961 年首次被提及。据统计，1961～1970 年间咸海的年平均注水量为 433 亿 m^3，而这一数字在 1970～1980 年间就迅速降至 167 亿 m^3。咸海的水面下降了 8 m，面积也从 6.69 万 km^2 减到了 4.1 万 km^2，海岸线后退 150 km，总水量减少了 60%，含盐量达 30 g/L，提高了 2 倍。20 世纪 80 年代前期，咸海几乎失去了注入河水，年平均注水量仅为 20 亿 m^3。1989 年增加到 40 亿 m^3（见图 4-1）[61]。此外，阿姆河自 1985 年开始就不再流入咸海了，深深的锡尔河在古代就仅仅是一条小河。1986～1995 年，每年排水量一般是 70 亿 m^3。结果，自 1961 年以来，咸海的水平衡遭到了严重的破坏，水位急剧下降，咸海面积逐渐减小（见图 4-2 和表 4-1）。1961～1974 年间，咸海水平面的平均下降速度为 27 cm/a，1975～1985 年间，这一速度猛增到 71 cm/a，到了 20 世纪 90 年代，这一速度达到了最高水平，为 88 cm/a。到 2002 年咸海水位下降超过了 17 m。如果按照这个速度继续下去，到 2010 年前后咸海将在地球上消失。

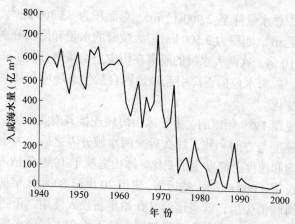

图 4-1 1940～2000 年间流入咸海的水量变化

1957 年   1984 年   1996 年   1999 年   2001年

图 4-2 咸海水面面积变化示意

表 4-1 咸海水位、面积变化（1960～2000 年）[61]

年份	平均水位(m)	平均水面面积(km²)	平均水量(亿 m³)	平均含盐度(g/L)
1960	52.71	66 900	10 510	10
1970	50.61	60 200	9 250	11
1976	48.28	55 700	7 630	14
1991	37.31	33 800	2 900	30
2000	31.9	19 701	1 310	65～70

　　浅而干枯的奥扎科卡拉尔海峡(深不足 2 m)于 1968 年将东西延伸的科卡拉尔小岛与咸海西部边界连接了起来。1991 年，较深的冰山海峡(大约 13 m 深)也干枯之后，这一大块陆地就与咸海东岸连接起来，这样原先的大水域被分割成两部分——北面的小咸海和南面的大咸

海。于是，总水量降至 2 900 亿 m^3，总面积为 33 800 km^2，小咸海水量为 300 亿 m^3，面积为 3 500 km^2。大咸海的水量和面积分别为小咸海的 9 倍和 10 倍。这两大水域的隔离在历史上给咸海开创了一个新的时期。总之，咸海水位的下降引起该地区自然生态环境和社会经济发生了很大的变化。

如果说在 1989 年以前，由于冰山海峡连接着南北水域，咸海水平面的下降速度与方向一致，那么后来两水域分隔之后，大小咸海在水位变化方向和速度上都发生了变化。冰山海峡于 1989 年枯竭，但此地还有一个长达 4 000 m 的人造运河，建于 20 世纪 80 年代早期以方便航海。冰山海峡消失后，这条运河又开始重新投入使用。正当大咸海开始缩小的时候，小咸海却由于锡尔河、地下水和大气降水的注入开始扩大。南北水域之间的水文坡度增加，这就使水流冲出界线流入先前淤塞的人造运河。涌出的水流很容易就冲走了运河的上层淤泥，而且水流如此强大，继续加深加宽了这个新的通道。1992 年春季，运河已有 5 000 m 长、200 m 宽、2 m 深了。据估计，从小咸海流入大咸海的水的流量达到 100 m/s 左右。有人认为，这条持续加深的运河将来可到达锡尔河河口，使水流重新流入大咸海，致使小咸海消失。估计这种情况是不会发生的，因为咸海地区大部分居民集中在北部，克孜勒奥尔达州和卡扎林斯克市的人口超过 150 000 人。像小咸海这样一个大水域的消失将会给当地人们带来严重的生态和经济后果。

4.2　生态的变化过程

如上所述，由于咸海流域是个自我封闭的内陆水系，从阿姆河和锡尔河(当然还包括咸海流域的其他所有河流)大量取水，必然导致咸海水位的下降。咸海的水位下降是从 1961 年开始的，到 1970 年咸海水位下降了 2.1 m(亦即咸海水位的绝对标高为 50.61 m)[62]。1971 年，亦即从两河的取水量总和接近 1 000 亿 m^3(占咸海流域水资源总量的 87%)时，有专家提出了对咸海水位下降应引起重视，明确提出节约用水问题。然而，这一重大建议在当时没有引起苏联高层领导的重视。1974 年，卡布罗夫[63]曾在苏联杂志《荒地开发问题》发表了题为《因咸海水位下降而产生的咸海南岸生态系统的变化》的文章(这是编译者所查到的最早论及咸海生态问题的文献）。这时咸海水位已下降了2.7 m，其绝对标高约为50 m，每年从两河的取水量接近1 100亿 m³。

直到1981年[64]，即从咸海水位开始下降的20年后（这时咸海水位共下降了8 m多，其绝对标高约为44 m），苏联水利部才制定了《关于咸海水位下降不良后果的评价和减少不良现象、调节咸海水情、防止阿姆河和锡尔河三角洲荒漠化和盐碱化的综合措施》的技术经济报告的基本原则。苏联国家计划委员会在研究了咸海、锡尔河和阿姆河三角洲的生态系统的状况和咸海沿岸人为荒漠化的状况后，才委托苏联水利部进行技术经济报告的研制。

从1975年开始，从两河的取水量总和达到1 100亿 m³，亦即几乎将两河的再生水资源量用尽了，1980~1987年一直维持在1 200亿 m³左右，1988年后取水量稍有回落，直到1993年取水量回落到1 100亿 m³以内。而在这期间，咸海水位继续下降，到1985年，咸海的入海水量只有20亿 m³，水位下降了近11 m，其绝对标高不足42 m。至此，咸海的生态危机完全成型，对生态和经济的负面影响已显露无疑，例如，咸海最大的港口——阿拉尔斯克港断航报废，此前一些较小的渔港和岸边泊位早已报废。

直到1985年苏联水利部才完成了《关于咸海水位下降不良后果的评价和减少不良现象、调节咸海水情、防止阿姆河和锡尔河三角洲荒漠化和盐碱化的综合措施》的技术经济报告，在该报告中提出从西伯利亚河流调水来补充咸海流域的用水，而1986年8月苏共中央和苏联部长会议决定暂停调水，1987年重新审查报告，改为用自有水资源来改善咸海生态环境。而作为首要措施是加快咸海沿岸供水系统的建设，以保证居民的优质饮用水的供应，完成总长约700 km的主干排水管渠的清理、加深和延长，以改善灌溉土地的改良状况，析盐和增加向三角洲和咸海的集排水流量。

随着咸海危机的深化，在1987年4月至1988年9月间，由来自莫斯科、列宁格勒、中亚各国的专家和学者参加的咸海及其沿岸地区政府专业委员会多次在各种会议上讨论了咸海问题，1988年9月19日苏共中央和苏联部长会议通过《根本改善咸海地区生态和卫生状况、提高该流域水土资源的利用效益和加强保护的措施》的决议[65]。为了作为自然项目保存咸海，在该决议中规定了一系列提高河川来水量和回归水进入三角洲地区和咸海的措施。根据这个决议，水利部门制订了保证增加锡尔河和阿姆河进入咸海水量的水平衡的具体方案。

1988年，组织了"88—咸海"考察队[66]，考察队乘坐面包车、轻型飞机和直升机用两个月时间考察了阿姆河和锡尔河的各个角落。考察结果认为，锡尔河和阿姆河还有备用水资源，可以分配给咸海所必需的 300 亿 m^3 的水，该地区可以依靠剩余的水来发展灌溉农业，但是要缩减棉花和水稻的产量、全面应用节水工艺和改造灌溉系统，而且必须完全停止增加新的灌溉面积，而实际灌溉标准超过设计值1倍。

1990年6月底，为了阐明最有效的途径走出咸海危机，苏联最高苏维埃宣布在全苏联开展有奖征集"保存和恢复咸海和咸海地区生态、医药生物、卫生保健和社会经济状况正常化"方案的活动[67]。有奖征集活动不仅引起了业内专家的关注，而且也吸引了非本行业的专业人士的巨大兴趣，在1个半月内就收到了219件作品。工作委员会依据这些方案和建议，以切实可行的方式确定拯救咸海的行动大纲，保证在极短的期限(1992年)内稳定咸海的状态和增加水量。令人遗憾的是，这份动员了全苏联力量的行动大纲还没有制定出来苏联就解体了，从而使这份行动大纲半途夭折。

咸海水位的连续下降导致其水面面积大幅度萎缩，从而带来了一系列始料不及的生态环境问题，以致酿成现在的生态灾难和危机。

4.3　生态危机的主要表现

归纳起来，咸海流域生态危机的主要表现如下几方面[68,69]。

4.3.1　河水水质下降

最近40年的河流水质统计资料表明，无论是随着时间的流逝，还是沿着河流长度的变化，河水的矿化度都出现了明显的增加趋势。表4-2列出了阿姆河上、中、下游各两个水文站 1960～1995 年的河水矿化度指标[15]，而表4-3中列出了锡尔河4座水文站 1960～1999 年的指标[15]。从这两个表中可以看出，在20世纪60～70年代，阿姆河和锡尔河的水都是淡水，而80年代后变成微咸水了，亦即水质明显下降。

据研究，锡尔河从乌兹别克斯坦流出进入哈萨克斯坦时，在40项监测指标中，有一半超过正常标准。为了实现机械化采收棉花，也为了避开早雪减产，飞机过量地喷洒脱叶剂，这些农药残留物随着雨雪水进入河流，使水质变坏。据报道，①乌兹别克斯坦[70]2.5%～4.2%有机氯杀虫剂和0.5%～0.8%有机磷杀虫剂用于棉花作物残留在流水中并释放到河流水体。20%氮、1%磷以及0.5%钾从使用的化肥中随排水进入地表水体。乌兹别克70%～75%的饮用水源和生产用水源受到杀虫剂的污染。②河水与地下水相互影响：以前河水补给地下水，使地下水矿化度降低，现在由于河床水位下降，高矿化度的地下水则补给河水。③盐分从咸海干涸的海底随着灰尘的搬迁而进入河流。

表4-2 阿姆河年均矿化度动态

（单位：g/L）

期间 （年）	各特征水文站					
	克尔基	伊利奇克	达尔甘阿塔	秋雅穆云	萨曼拜	克孜勒贾尔
1961～1970	0.56	0.61～0.62	—	—	0.50～0.51	0.54～0.57
1971～1980	0.67～0.73	0.70～0.73	0.88	0.68～0.89	0.69～0.84	0.75～0.85
1981～1990	0.73～0.78	0.91	1.05～1.15	0.91～1.07	1.09～1.41	1.17～1.34
1991～1995	0.70	—		0.81	1.02	0.97

表4-3 锡尔河年均矿化度动态

（单位：g/L）

期间 （年）	各特征水文站			
	别卡巴德	沙尔达拉	克孜勒奥尔达	卡扎林斯克
1961～1970	0.64～0.97	0.68～0.94	0.70～0.98	0.95～1.01
1971～1980	0.97～1.38	0.94～1.55	0.98～1.74	1.01～1.72
1981～1990	1.38～1.48	1.55～1.46	1.74～1.69	1.72～1.87
1991～1995	1.48～1.35	1.46～1.24	1.69～1.33	1.87～1.57

4.3.2 咸海水质恶化[59]

咸海的水位变化引起了溶解盐的浓度变化。到1961年止，咸海的年平均溶解盐浓度一般是10.2～10.3 g／L。到1970年，这一数字上升到 11.5 g／L，而到了 1980 年又升至 17.0 g／L。1989 年浓度为 30 g／L。1992 年大咸海和小咸海的溶解盐浓度分别为 42.1 g／L 和 24.9 g／L。到 1998 年 12 月，小咸海溶解盐浓度降至 16.0～17.0 g／L，而大咸海溶解盐浓度升至 46～48 g／L。

4.3.3 地下水水位下降，水质变坏

在三角洲含水量急剧降低期间，地下水水位下降和矿化度提高。地下水水质下降的主要原因是，含有农药和化肥残余物的灌溉水是地下水主要补给水源之一。当今农业生产很少有不采用化学农药和化肥的。化肥和农药对保护植物和动物免受害虫和疾病、减少损失、保护森林和防止传染病虫害起了很大作用。但是这些化学物质随水分一起渗透到地下，给地下水造成了污染。

4.3.4 河流断流，长度缩短

由于滥用水资源，导致流入咸海的河流水量减少，河流断流。例如[54]，在 1974～1986 年间，锡尔河连续 13 年出现断流现象，无水进入咸海；阿姆河也分别在 1982、1983、1985、1986 年和 1989 年出现断流，这几年无水进入咸海。在 1981～1989 年间，进入咸海的河水总量仅约为 40 亿 m³，这就大大改变了咸海的水文和水化学状况。

4.3.5 盐碱化土地面积增加，粮食减产

在咸海流域灌溉面积大幅度扩大的同时，灌溉引起土壤盐碱化的土地面积大幅度增加，土壤侵蚀的生态后果越来越严重。灌溉溶解了深层土壤中的盐，而毛细管水将其带到土壤表面。当水被蒸发后土壤中的盐分浓度就增高。另一方面，河流下游用回归水灌溉土地，从而更容易使土地盐碱化。据世界银行的调研报告[32]，中亚河流中 70%以上的盐都是来自排水系统，锡尔河和阿姆河每年携带的盐量总数从20 世纪 60 年代中期的 5 500 万～6 000 万 t 增加到 90 年代中期的 13 540万 t。这就导致土壤盐碱化向下游扩大。阿姆河流域、锡尔河流域和泽拉夫尚河流域土地盐碱化都具有这个特征(见表 4-4)[17]。从表 4-4 中可以看出，位于上游的塔吉克斯坦和吉尔吉斯斯坦盐碱化土地比较少，而位于下游的国家土地盐碱化就比较严重，问题最严重的是位于咸海附近的乌兹别克斯坦卡拉卡尔帕克自治共和国、花拉子模地区和布哈拉州，在这些地方有 90%～94%的土地受到盐碱化侵害。

表 4-4　中亚各国土地的盐碱化程度

国家	灌溉面积(hm²)	盐碱化面积(hm²)	盐碱化占灌溉面积的百分数(%)
吉尔吉斯斯坦	1 077 100	124 300	11.5
塔吉克斯坦	719 200	115 000	16.0
哈萨克斯坦※	2 313 000	>763 290	>33.0
土库曼斯坦	1 744 100	1 672 592	95.9
乌兹别克斯坦	4 280 600	2 140 550	50.1
中亚合计	10 134 000	4 815 732	47.5

注：哈萨克斯坦土地盐碱化的统计资料是 1989 年的调查结果，现在肯定比这个数据大得多，但是编译者没有找到最新的数据，只好用这个数据。请读者谅解。

　　无论是深层土壤中析出的本地盐，还是水流挟带的外来盐，当排水不足时，盐分就存留在表层土壤或地下水中。当植物的根部区域积累了足够的盐之后，水盐溶液的渗透遏制了植物的吸水能力，从而阻碍植物的生长，造成产量减少。根据中亚灌溉科学研究所的计算，在轻度盐碱化的土地上，棉花的产量损失为 20%～30%，中度盐碱化土地上棉花产量的损失为 40%～60%，严重盐碱化土地上棉花产量的损失高达 80%以上。例如，乌兹别克斯坦土地盐碱化比较严重。1996 年有 50%的灌溉土地被划分为盐碱地[35]。阿姆河和锡尔河的上游河段，不到 10%的农田变为盐碱化土地，而下游大约 95%的农田存在不同程度的盐碱化。1990 年以来，缺水的加剧、较差的水质，已经造成二次土壤盐碱化。尽管由于盐碱化带来的农作物产量减少，影响棉花的产量可能高达 30%，但是由于乌兹别克斯坦人多地少，这些盐碱化土地仍然需要耕作，以解决农民的就业和生存问题。

4.3.6　咸海海底盐分积累[3, 71]

　　咸海干涸的海底积累着大量的有毒盐。1960～1980 年，全部干涸地带年平均积累的盐分为 82 t/hm²。若咸海完全干涸，估计大约有 100 多亿吨盐，目前已有近 1 亿 t。海水退缩后使 30 000 km² 的海底裸露，变成盐漠，成为尘埃和盐粒的发源地。大风将受农业污染的沙尘和盐沫吹到 250 km 远的农田和牧场，每年升入大气层的粉尘达 1 500 万～1 700 万 t，咸海周围的土地，每公顷年均沉降 520 kg 的沙尘和盐分，并使原有几千人口的沿海城镇穆伊纳克和阿拉尔斯克处于风沙包围之中，使土地盐碱化并严重破坏了生态环境。随风飘荡的有毒盐给古里耶夫、图尔盖、杰兹卡兹甘、克孜勒奥尔达州和卡拉卡尔帕克自治共和国等地造成巨大灾害，严重影响农作物和牧草的生长以及居民的身体健康。

4.3.7 二级河网的消失

在海水位处于稳定状态时，三角洲天然河网是主河床（近海区主河床又分成一些河汊）、三角洲二级河网、泛滥区，半流动的和不流动的湖泊型三角洲水域以及古河道等。现在，由于河床径流量减少和海水位下降，即使在洪峰期间，洪水也只沿主河床通过，三角洲二级河网也就失去行洪的作用，一些天然河滩水域干涸，残留的湖泊水质恶化。到1990年95%以上的沼泽和湿地变成沙漠，50%以上的三角洲湖泊干涸。两条入海大河三角洲的湖沼消失。

4.3.8 气候干燥[71]

随着咸海面积的减少，它已失去了调节气候的作用，周围的气候已发生急剧变化，干燥程度加重，空气湿度降低 20%~25%；周围地区温差增大，夏天气温比过去升高 2℃，最高气温达 45℃。夏季更短、更热、少雨；而冬季更长、更冷又少雪。由于小环境的变化，阿姆河三角洲的无霜期已经缩短到不足 180 天，少于当地主要作物棉花所需要的生长天数。海水位下降前，阿姆河三角洲（穆伊纳克，努库斯）冬季气温平均高 2~3℃，而夏季比克孜勒库姆沙漠低得多。三角洲地区空气湿度比周围的沙漠要高。以前很少见到三角洲地区有干燥风。随着干燥气候的发展，三角洲从非区域性气候转变为区域性气候，目前发现三角洲与其周围的沙漠地区气象条件变化并无多大差别。

4.3.9 风蚀地形的形成[20,71,72]

咸海的干涸导致自然条件的恶化和周围地区沙漠化进程的加剧，大面积湖底出露后形成盐漠，而盐分进入沙尘暴又形成危害更大的盐尘暴。沙尘暴和盐尘暴肆虐，一年多达 90 余天。定期刮风引起的干燥气候和人类活动造成的表土流失导致风蚀作用的加剧，从而使土壤肥力丧失。若咸海完全干涸，则将在欧亚大陆的腹心地带出现一个面积约 5 万 km² 的新的大沙漠；目前，咸海的沙漠已吞没了 200 万 hm² 的耕地和咸海周围 15% 以上的牧场；整个咸海流域的经济损失达 300 亿美元。由于海水干涸[73]，有总数达 100 万 t 的盐尘已经或正在进入空气中，对全球生态环境构成了严重威胁。哈萨克斯坦总统纳扎尔巴耶夫说，据科学考证，咸海盐尘在空气中的扩散加快了帕米尔高原冰川覆盖面积的减少速度，同时还殃及位于欧洲的阿尔卑斯山脉。

4.3.10　生物多样性受到严重威胁

由于水位大幅度下降，水中矿物含量增加 3 倍达到 40 g/L，使海中大部分鱼类和野生生物无法生存，鱼类和鸟类正在绝迹，渔业和麝鼠繁殖的条件也日渐变坏，共有 200 多种动植物种群消失[74,75]。世代以捕鱼为生的卡拉卡尔帕克人正面临生存危机。20 世纪 60 年代，木伊那克是咸海最繁荣的渔港之一，每年有 2 万 t 的捕鱼量，拥有一座苏联时代最大的鱼罐头加工厂，年产 1 300 万个鱼罐头。咸海昔日最大的港口——阿拉尔斯克城已退至距海面 160 多 km 以外的地方，锈迹斑斑的驳船躺在黄沙上，成为一座号称海港却没有海、著名的渔村却没有鱼的荒漠孤城。原先规模巨大的商业捕捞于 1982 年终止，其他动物的种类也急剧减少，当地 70% ~ 80% 的动物灭绝。本地鱼种已完全绝迹。当前鱼类捕捞量微乎其微，整个捕捞社区目前已经失业。自然植被面积减少，植被类型退化，密草草原变为疏草草原，草原变为荒漠。动植物生长环境变坏，喜湿性动植被适应干旱气候的动植物所取代。牧场环境变坏，动物种类和数量也随之减少。众多世界珍稀动物和植物濒临灭绝。2002 年遭遇前所未有的白蚁灾害[76]，受害面积高达 73.8 万 hm²。乌兹别克斯坦农业部的专家认为，白蚁成灾与咸海日益干涸、生物多样性和食物链遭到破坏有关。咸海附近地区共发现了中亚 4 种白蚁中的 3 种，它们能在极短的时间内吞噬树木、对房屋地基和供暖系统的破坏也很大。目前乌兹别克斯坦专家正在研究遏制白蚁大量繁殖的新办法。

4.3.11　水路直达运输退出历史舞台[2,77]

咸海虽是个封闭的水域，但是在 1960 年以前是一派船帆林立、百舸争流的景象。到 70 年代，随着咸海水位下降，航道水深变浅，水路货运量逐渐减少。虽然如此，那时咸海还有两条航线：一条是从阿姆河河口经过乌什萨伊港到阿拉尔斯克港，这条航线共长 469 km，另一条是从阿姆河河口沿着东部沿岸航线航行，长 518 km。这两条航线都有灯光航标，年通航期为 250 天左右。70 年代前期虽然咸海水位每年下降 25～28 cm，但是靠挖泥疏浚阿姆河河口至乌什萨伊港（长 32 km，疏浚量为 150 万 m³）这一段，船舶还能直达阿拉尔斯克港。70 年代后期，由于水位进一步下降，两条航线都先后停航了。

对于阿姆河和锡尔河来说，水运业务也大不如前。20 世纪 70 年代以前，阿姆河具有通航里程 1 657 km，锡尔河为 844 km。它们与咸海一起，构成了一个水运网络，把中亚五国（加盟共和国）的农产品（棉花、水果等）和矿产品（煤炭和石油）等物资先用河船运至河口，再用海船沿咸海航线运至阿拉尔斯克。在那里转运上铁路，运至苏联各地乃至海外，也从阿拉尔斯克运回粮食、机械设备、化学制品和肥料。年货运量为 400 万～500 万 t，其中 80% 是中亚航运公司经营的。此外，阿姆河的上游，曾对苏联与阿富汗的进出口货物运输有着重要的意义，其 5 个轮渡渡口每年的货运量达 35 万～40 万 t。然而 70 年代以后，由于从两河的灌溉取水不断增加，致使从河源到河口的水量所剩无几，河流水位大大下降，70 年代前期靠挖泥疏浚还能维持逐渐下降的水深，货运量也越来越小。70 年代后期，随着从两河取水量的增加，河流水位进一步下降，平水期甚至断流，河底裸露，航运业务也就自然中断。现在，除在各大水库内和卡拉库姆运河上航运业务照常经营外，在阿姆河和锡尔河的干流上每年只是汛期有少量的船只临时跑点短途运输（虽然干流水利枢纽上建有船闸，但是现在已很少发挥作用），而且船舶不能直达咸海，其实就是能到达咸海也没有什么大的作用，阿拉尔斯克港早在 1985 年就已报废，此前咸海的其他小港（渔港）和岸边码头泊位均已报废。原有的港池早已变成荒漠。航运业务已大大萎缩，年货运量大大减少。咸海流域原来的水运网络已全部中断，过去曾经有过的河（指阿姆河和锡尔河）海（指咸海）直达运输退出历史舞台。

4.3.12 严重影响居民健康

咸海流域的居民世世代代饮用的都是水渠水和水井水。这些饱含毒素的水造成的大面积污染，给下游、也给当地人的生存造成了严重的后果。在卡拉卡尔帕克，因受到污染，饮用水中含盐，金属含量也高，如锶、锌和锰的含量大幅提高，从而引起诸如贫血等情况。过去 15 年中慢性气管炎、肾病和肝病，特别是癌症发生率增加 3 000%，关节炎增加

6 000%，婴儿死亡率是世界上最高的地方之一。据地处下游的努库斯妇幼院院长介绍[6]，当地居民贫血病不断增多，怀孕妇女没有一个不患贫血病的。伤寒、肝炎、痢疾、食道癌、发育不全和婴儿夭折的比例都很高。克孜勒奥尔达州在 1975 ~ 1990 年间[78]，居民的得病率大大增加，其中得伤寒病的增加 29 倍，得病毒性肝炎的增加 7 倍，得副伤寒病的增加 4 倍。表 4-5 中列出了 20 世纪 80 年代居民健康状况的比较资料。

表 4-5　20 世纪 80 年代居民健康状况的比较资料[78]

比较指标	苏联	土库曼斯坦	塔沙乌兹州
平均寿命 (岁)	70	64.7	64.1
孕妇死亡率 (每 10 万人)	47.7	77.1	93.0
婴儿死亡率 (1 岁以下，每 1 000 人)	24.7	56.4	75.2
病毒性肝炎 (每 10 万人)	305.4	264.3	547.8
恶性赘瘤 (每 10 万人)			295 (1985 年) 334 (1988 年)
先天性怪胎 (每 10 万婴儿)			301 (1985 年) 437 (1988 年)

另据联合国 1996 年的一份报告中披露，该州儿童的得病率 1990 年每千人为 1 485 人次，到 1994 年增加到 3 134 人次。当地人已在劝告母亲不要用自己的乳汁喂养婴儿，因为乳汁对有害物质有富集效应。美国纽约州立大学的调查报告指出，如果婴儿被含毒母乳喂养 1 年，他吸收的毒素总量将是 1 个成人在 70 年中吸收总量的 100 倍! 难怪不久前在哈萨克斯坦举办的一次声讨咸海生态灾难的大型集会上，包括文化名流、家庭妇女和学生儿童在内的社会各界人士，用各种形式和语言，激烈地抨击生态灾难的制造者。由法国人莫格兰和德斯唐执导的科教片《咸海，杀人之海》，用纪实镜头反映了咸海地区环境恶化给居民造成的一系列苦难。联合国环境规划署 1992 年在一份报告中就已指出："除了切尔诺贝利外，地球上恐怕再也找不出像咸海流域这样的地区，其深刻的生态灾害覆盖面如此之广，涉及生命安危的人口如此之多。"美国《选萃》杂志称，"咸海危机"是"大自然对人类的报复"。甚至苏联曾有官员也承认，这比 1986 年切尔诺贝利核电站事故还要坏 10 倍。

综上所述，咸海水位下降导致水面面积的缩小，进而导致咸海本身及周边地区产生生态危机，给该地区的人民带来社会、经济和生态方面的巨大损失，造成了始料不及的灾难性生态后果。咸海流域的生态环境问题不仅直接使居民生活质量下降，而且还严重威胁到人的生存，同时也扩大了咸海流域与其他地区的差异。咸海流域曾是环境优美，农、牧、渔业都很发达的地区，居民生活水平和质量与其他地区差别不大。可是最近十多年来，随着咸海危机的出现和深化，咸海流域生产萎缩甚至倒退，居民收入大幅度降低，同时发病率急剧上升、出生率下降、死亡率特别是婴儿死亡率迅速上升。居民迫于生态环境压力而迁居他乡，成为生态移民。大量人口的迁出给处于恢复期的各国经济造成很大负担，甚至给各国社会带来不安定因素。因此，最近几年，中亚各国的领导人非常重视咸海流域的生态环境问题，且多次呼吁国际社会关注咸海流域的生态问题，吁请联合国和其他国际组织专家学者帮助解决。中亚以水资源为主导因素的生态环境问题是一个很生动的实例。咸海危机是这一实例最突出的表现。咸海流域的生态危机在中亚国家造成的严重后果已越来越多地引起有关国家和国际社会的重视，每一个国家都应该从中汲取教训。

4.4 生态危机的原因分析

要解决咸海流域的生态危机，首先必须找出产生生态危机的原因。对于咸海来说，显而易见的原因是入海水量的减少。那么是什么原因导致咸海入海水量的减少呢？

根据所收集到的资料，从20世纪60年代起，有人就开始分析咸海入海水量减少的原因。例如，萨帕罗夫 Б.在卡拉库姆运河一期工程刚刚完成320 km并投入运行时就对其输水情况进行了原体观测[10]。根据他的观测，从1959年11月1日到1960年10月31日，卡拉库姆运河从首部取水建筑物到第五水利枢纽(长 320 km)的水量平衡如表4-6所列。

按照水量平衡方程式的计算，在渠首320 km这一段的水量损失就达到43%，亦即43%的水白白地浪费在沙漠中。

表 4-6　卡拉库姆运河从渠首到 5 号枢纽长 320 km 的水量平衡（单位：m^3/s）

流入因素		流出因素	
起始段取水流量	119	观测末端水流流量	51.5
因大气降雨水流增加	0.4	水的蒸腾和蒸发损失	6.4
		沿途取水	9.7
		在卡利夫湖中的调节量	0.6
		渠道渗漏损失	51.2
合计	119.4	合计	119.4

　　我们再来看看穆罕默多夫 A. M.的论述[58]。他说："中亚灌溉和水力发电水资源利用造成目前状况的主要原因，一是原水利部在开垦饥饿草原、苏尔汉—谢拉巴德草原、卡尔希草原和吉扎克草原生荒地时过早地修建土壤改良工程，二是具有调节河床径流作用的大型动力工程施工延期 15～20 年。主管部门的利益造成水资源开发利用（在水力发电方面）的不利条件使国民经济受到相当大的损失，因为动力电气化部水力发电工程投入运行的期限跟不上灌溉农业和水利土壤改良的高速发展，说明苏联国家计委在协调和控制方面是做得不够的，结果就产生地方和主管部门相互冲突的局面。这样在中亚地区每个共和国都竭尽全力扩大灌溉取水，水资源用于开垦生荒地，修建无坝取水建筑物，如修建卡拉库姆、卡尔希和阿姆布哈尔等灌渠就是实例。所有这些问题应通过成立流域水利联合组织（锡尔河和阿姆河水利联合组织）和建立阿姆河取水和锡尔河流域挡水建筑物梯级水库限额用水的严格制度予以解决。必须认识到提供塔沙乌兹州灌溉用水，修建塔沙乌兹支渠和投入使用是不合理的，因为该区灌溉用水是由总干渠提供的，用来灌溉花拉子模区和塔沙乌兹区的土地。这条灌渠长 160 km，穿过卡拉库姆沙漠，虽然花拉子模区的土地得到灌溉，但是年渗漏损失为 4.5 亿～6.0 亿 m^3。在卡拉库姆灌区修建泽依德泄水水库也是不合理的，蒸发损失达 1.5 亿 m^3，水库库容只有 2.2 亿 m^3。这就是地区水资源开发利用考虑不周造成的结果。

　　这一地区有 400 多万 hm^2 的土地进行过水利土壤改良，目前这些土壤改良网的技术状况与现代农业经济生产的要求不符。基本上都是一些老灌区的土地，这里的引水大约有一半由于渠道渗透和农场内部灌溉网排水而被损失掉。在这种情况下相当大一部分土地(因严重盐碱化)不能耕种。"

"业已发现，在正在兴建的水利系统中，调节建筑物和配水建筑物施工速度赶不上需水量，主要是农业灌溉需水量增长速度的要求。从锡尔河最后一座大型水库——恰尔达拉水库(库容 57 亿 m^3，有效库容 47 亿 m^3)投入运行(1965 年)起，已过去 20 多年了。瓦赫什河努列克水利枢纽施工延期长达 14 年之久。这一期间农业产量增长了 1 倍，工业产量增长了 3 倍，而人口也几乎增加了 1 倍，因此，需水量满足不了这种发展的要求。

在目前新的灌溉系统施工速度满足不了需水量增长速度的情况下，1980 年从阿姆河克尔基河段引水 500 多亿 m^3，而 1987 年引水接近 600 亿 m^3，这就超过努列克和秋雅穆云两座季调节(500 亿 ~ 520 亿 m^3)水库的调节能力。

由于有效库容 86 亿 m^3 的罗贡水库施工延期，这座水库可用来提高保证供水量，使其达到 59 亿 m^3(然而由于苏联解体和经费原因，该水库一度停工 14 年，于 2002 年开始继续施工，至今尚未见到工程完工的报道——编者注)。"

穆罕默多夫 A.M.接着说："在中亚地区和南哈萨克斯坦地区，无论降水量和年径流量是多少，只有对河床径流进行多年调节，并对已建及在建水库按设计规定进行及时充水，才有可能对水进行计划管理并推动水利事业的发展。因此，水利分析研究必须按水库第一次充水最优方案进行。这项分析研究是由中亚灌溉科研所进行的，如对秋雅穆云水利枢纽最优运行方案的研究，并对减少水的矿化度和浑水灌溉土地拟定的措施均一一作了考虑。

在大型和复杂的水利系统中，应修建备用水库，以缓解供水中断和在罕见枯水年份保证国民经济用水。正在修建的纳伦河卡姆巴拉金 1 号水库可作为锡尔河水利系统的备用水库。萨列兹湖待必须的泄水建筑物建成后和湖水下泄到安全水位的问题同时得到解决后，有一部分湖水可用做阿姆河流域的备用水源。此外，在上述流域内修建山区备用水库使蓄水水质得以保证。"

穆罕默多夫 A.M.的这段话是在苏联解体以前说的，基本上反映了当时咸海流域水资源的利用情况和缓解水资源短缺问题的思路。从中可以看出，苏联在解决咸海流域水资源短缺问题时，比较注重从工程措施——修建大型水库调节径流的角度来考虑，而很少从节约用水(这里只字未提，在别人的文章有提到的，但很少)的角度来考虑问题的解决方案。这从另一个角度反映了苏联长期以来重建设轻管理的真实情况。

咸海流域的一部分水利管理人士认为[79]，咸海流域生态危机主要是两个原因所造成的：

(1)在本地区现有的人口和经济发展(这种发展仍在继续)规模条件下，本地所具有的水资源总量不足；

(2)本地区所形成的用水体制不合理，即使这种体制是限量利用可调配的水资源。

这种观点在中亚本地有一定市场，其认为[80]，中亚情况特殊，中亚国家的首都塔什干、阿拉木图等的用水量是欧洲国家首都的 1.5～2 倍是"正常"的。因为事实上，夏天中亚城市的平均气温是欧洲城市的两倍。中亚地区与欧洲地区相比，其植物自然的蒸发量要高出 4～8 倍，所以这些地区的人们不得不用灌溉来弥补蒸发损失，灌溉种植所有的树木甚至一些装饰植物，种植花卉需要水资源，粮食的生长需要灌溉土地，所以水耗不得不增大。毫无疑问，上述信息的确切性不能降低这些地区的用水量，并且也没有多余的水资源，但是需要理解的是，这些水消耗并没有十分扩大，它们只是用于自然需求。就像美国加利福尼亚州的自然气候条件一样，也需要水资源，这样才可以作出客观的解释，找出解决问题的合理办法。

但是，一些国际组织和外国专家不同意这种观点，他们认为，第一，咸海悲剧的深层原因是对于复杂的自然生态环境——经济系统所实施的外行管理，这种管理是基于一些表面性的知识，这种知识曾经宣称："咸海是大自然的谬误。"实际上，咸海是复杂系统的合乎规律的环节，它起着重要的作用，它把该流域广阔面积上河道水流冲刷出的盐分加以积蓄；它是淡化工厂，把那些盐加工成它的生物群产品；最后，它还发挥重要的作用，使中亚—哈萨克地区干燥气候平衡稳定。

第二，咸海流域的生态危机完全是因为不理智的人类活动和对水资源的挥霍性消耗（特别是在灌溉农业方面）造成的。正像《努库斯宣言》所指出的那样[69]，"是过量消耗阿姆河和锡尔河的水用于灌溉的需求"。在无计划利用水资源的情况下[81]，综合灌溉定额约为 10 000 m^3/hm^2，而实际上平均耗水量为 27 000 m^3/hm^2，而卡拉库姆灌渠区竟然高达 80 000 m^3/hm^2。在土库曼斯坦，1 300 多 km 长的卡拉库姆运河横穿卡拉库姆沙漠，全长均为土质河床，没有采取任何防渗漏措施，就将阿姆河水西调至首都阿什哈巴德以西。每年取水 120 亿 ~ 130 亿 m^3，对航片资料的分析表明，该取水量中，每年至少有 60 亿 m^3 的水白白地消耗和浸没在附近荒芜的牧场上，使这些地方出现了次生盐碱土壤。原本匮乏的水资源没有得到充分的利用反而造成危害。又比如，在乌兹别克斯坦境内，水渠总长达 18.3 万 km，但只有 2% ~ 3% 的水渠用水泥和其他材料进行了防渗漏处理。在这里，浇灌 1 hm^2 土地的用水量超过正常用水量的 1 ~ 2 倍。在哈萨克斯坦南部，河道水流的损失也很严重，水资源的利用也不合理。1986 年，灌溉系统大型调查专家组亦得出结论，认为该地区灌溉水过量消耗的部分为定额的 34%；同时，近年的水文地质估算也证明，地下水位到处在上升，灌溉土地在沼泽化。对咸海流域生态环境以及航片上所反映的某些经济活动的分析表明，每年有 400 亿 m^3 以上的水低效地用于中亚的灌溉农业。

第三，咸海流域的水资源不存在短缺。从人均水资源量来说，在国际人口行动提出的《可持续利用水》报告中[82]，根据全世界 149 个国家的水资源资料，联合国公布的 1955、1990 年人口统计资料和 2025、2050 年人口预测数据，采用瑞典水文学家 M. 富肯玛克提出的"水紧缺指标"（见表 4-7），对一些国家人均水资源量的变化趋势进行了预测。表 4-7 是 M. 富肯玛克根据世界各国人均实际用水情况，特别是非洲干旱缺水国家的资料，分析比较后提出的。这些指标不是精确的界限。由于水的紧缺受到气候、经济发展水平、人口和其他因素的影响，在地区之间存在很大差异，并且与节水和用水效率有关。但是，这个指标有利于进行国家间人口和人均供水变化的比较分析。世界银行和其他学者已接受将人均占有水资源 1 000 m^3 定为缺水指标。

表 4-7　M.富肯玛克的水紧缺指标

水紧缺指标	人均水资源占有量（m³/a）	主要问题
富水	>1 700	局部地区、个别时段出现缺水
用水紧张	1 000 ~ 1 700	将出现周期性和规律性用水紧张
缺水	500 ~ 1 000	将经受持续性缺水，经济发展受到损失，人体健康受影响
严重缺水	<500	将经受极其严重的缺水

就咸海流域而言，2000 年人口总数为 4 150 万人，多年平均地表水资源量为 1 164.83 亿 m³，人均占有水资源量为 2 807 m³/a。因此，从 M.富肯玛克的水紧缺指标来看，咸海流域的中亚各国不仅不缺水，甚至可以称得上是富水国家了。然而，中亚国家人均实际需水量的水平是非常高的。土库曼斯坦的人均需水量在世界上排在首位，每年为 6 216 m³；乌兹别克斯坦为 4 007 m³；吉尔吉斯斯坦为 2 663 m³；塔吉克斯坦为 2 376 m³；哈萨克斯坦为 2 264 m³。而发达国家人均年需水量比中亚国家少一半多，比如，美国人均年需水量为 1 870 m³，加拿大为 1 602 m³。

显然，解决咸海危机最根本的办法是增加流入咸海的水量，减少水中的污染物。那么要增加多少水量才能逐步修复咸海的生态环境呢？

4.5　拯救咸海需要的水量

20 世纪 90 年代初，艾哈迈多夫 T.X.、斯皮岑 Л.B.等人[81]就对"修复咸海流域的生态环境需要多少水量"的课题进行了理论研究，现将他们的研究结果摘译如下：

艾哈迈多夫 T.X.、斯皮岑 Л.B.等人认为，咸海恢复期间的水量平衡方程为

$$V_\text{в}=T(V_\text{oc}+V_\text{ст}-V_\text{исп}-V_\text{ф}+V_\text{доп}) \tag{1}$$

式中：$V_\text{в}$ 为咸海补充的水量；T 为咸海恢复时间；V_oc 为海面降雨量（在面积为 6.4 万 km² 海面上降雨量为 59 亿 m³），$V_\text{oc} \approx 0.09 F_\text{ср}$；$F_\text{ср}$ 为咸海恢复期间海面平均面积；$V_\text{ст}$ 为锡尔河及阿姆河河口剩余径流量；$V_\text{исп}$ 为年蒸发量，近似地取 $V_\text{исп}=9$ 亿 m³/a，按有关文献资料渗漏损失 $V_\text{ф}=10$ 亿 m³/a。

这样，需要向咸海补充的水量为

$$V_\text{в}=(V_\text{oc}+V_\text{доп}-1-0.81F_\text{ср})T \tag{2}$$

式中：$V_{доп}$ 为因本地水资源不足而由外地水源补充的水量。

由方程(2)可以确定，当入流量全没有时，容积为 $V_н$=3 250 亿 m^3 及原始面积 F_{cp}=4 万 km^2 的咸海，枯竭期为

$$T=V_н/0.81\ F_{cp}=15\ 年$$

这一近似计算表明，咸海可能不久就将完全消失。伴随咸海干涸而来的生态危害已为人们所熟知。人们提出过一些有关恢复咸海的建议。很明显，咸海问题的彻底解决仍是各种方案及建议的综合。

艾哈迈多夫 T.X.、斯皮岑 Л.В.等人认为，咸海必须恢复其全部规模：水面高程 53 m；容积 $V_м$=10 000 亿 m^3；面积 $F_м$=6.4 万 km^2。

假定，2005～2010 年由里海开始向咸海调水时，咸海水位已降至 31 m。此时咸海的容积 $V_м'$=1 910 亿 m^3，面积 $F_м'$=1.12 万 km^2，来流量为 227 亿 m^3。

艾哈迈多夫 T.X.、斯皮岑 Л.В.等人研究了两个保持咸海水位的方案：①依靠锡尔河及阿姆河的径流继续补偿蒸发及渗漏损失；②利用里海的水进行补偿。

方案 1　全部恢复咸海必需的调水量为

$$V=V_м-V_м'=10\ 000-1\ 910=8\ 090（亿\ m^3）$$

在此期间河流径流量

$$V_{ст}=227\ 亿\ m^3/a$$

恢复期间咸海的平均面积

$$F_{cp}=(F_м+F_м')/2=(64\ 000+11\ 200)/2=37\ 600\ m^3❶$$

由此方程(1)可得

$$V_в/T+(0.81\ F_{cp}-V_{ст}+V_ф)=V_{доп}$$

如果 $V_{ст}$=227 亿 m^3/a，$V_ф$=10 亿 m^3/a，并且恢复期 T=10 年，则用于恢复咸海的必须水量 $V_{доп}$=896 亿 m^3，这只有在流量 Q=2 850 m^3/s 时可得到保证。

T=20 年；$V_{доп}$=492 亿 m^3；Q=1 570 m^3/s；

T=30 年；$V_{доп}$=357 亿 m^3；Q=1 135 m^3/s。

---

❶原文有误，此处为改后的结果——译注。

方案 2　如果咸海充满后锡尔河及阿姆河的来水量仍保持 227 亿 m^3 / a 的水平，则考虑到咸海水面每年蒸发量为 640 亿 m^3 / a，每年必须由里海增补输入水量的规模为

$$V_{доп}=640–227–57=356 \ 亿 (m^3 / a)$$

式中：57 亿 m^3 / a 为咸海海面年降水量。

以上计算表明，若以 20 年为期，每年需要向咸海补水 492 亿 m^3，占咸海流域地表水资源量的约 42%；若以 30 年为期，每年需向咸海补水 357 亿 m^3，约占 31%。而且从方案 2 来看，30 年后每年仍然要从里海向咸海补水 356 亿 m^3，才能维持咸海 53 m 的水面高程。也就是说，每年要让整个流域 1/3 的水放入咸海。这就意味着必须大量减少人口、缩小耕地面积、让 1/3 的工厂停产。对于咸海流域的各国来说，这样的后果简直不堪设想，也不可能做到。更可行的方案包括将湖水稳定在 1990 年海拔线上（38 m），然而这不会结束环境退化和暴露海床的荒漠化。另一项建议是将北海（小咸海）海拔恢复到 38 ~ 40 m，这需要在今后 5 年里流入咸海的水量至少要有 60 亿 ~ 80 亿 m^3。

目前看来，在从外部流域向咸海流域调水尚没有踪影的情况下，增加咸海水量的主要途径是在全流域采取有效的节水措施，首先必须做好农业节水，因为农业是最大的用水户。但是在整个咸海流域，节水农业的基础目前还相当薄弱，仅靠减少灌溉面积和降低单位面积用水量的办法不仅潜力不大，而且会减少国家和农户收入。这一问题在乌兹别克斯坦、土库曼斯坦、吉尔吉斯斯坦三国尤为突出。在这三个国家，灌溉面积占农田总面积的比例分别是 89%、100% 和 75%。特别是乌兹别克斯坦，它既是中亚最大的农业产出国，又是中亚最大的农业用水户，如何根据可持续发展的原则在生态环境保护和生产之间求得平衡还是一个远未解决的问题。现在看来，在咸海流域，生态环境保护和发展生产之间存在着很大矛盾，对那些有一定经济效益而又资源耗费高、污染严重的部门来讲，矛盾就更突出。在国家经济状况不好、需要解决大量人口就业的情况下，收益和生态保护孰轻孰重、孰先孰后？选择的结果无疑是清楚的。但是，从目前来看，拯救咸海的方法恐怕只有一个，那就是：尽一切可能节约每一滴河水。否则，咸海生态环境的修复是无法实现的。

第五章　拯救咸海生态的修复措施

近年来，面对咸海生态危机的种种问题，一些国际组织(如联合国教科文组织、联合国开发计划署、联合国环境组织、世界银行、亚洲开发银行等)，中亚五国的科研机构、专家和学者研究了许多方案和解决办法。把这些方案和办法归纳起来，无非是要采取非工程措施和工程措施。

5.1　非工程措施

5.1.1　需水管理

在非工程措施中，首先要解决的是供水管理问题。中亚五国的政府已决定把重点放在水需求管理上，这是国家和地区水战略的一个关键因素。许多国内外专家和学者对供水管理课题提出了自己的研究成果和建议。我们先来看看早在苏联解体前叶谢诺夫 Ш.E.、西迪科夫 Ж.C.、阿尔图宁 B.C.等专家的建议[1,83,84]。

(1)按 1985 年高程，以生态上最低的规模恢复咸海是可能的。这主要是要把咸海流域的内部潜力利用起来。对航片成果的分析以及基于此项分析的专家结论表明，在径流总量约为每年 1 164.8 亿 m^3 的阿姆河和锡尔河的河川径流中，每年抽取约 950 亿 m^3 的水用于灌溉，而且，如果所有的生产经营都为协调"枯水年"供水而进行经营管理，则此抽水量至少每年可以减少 300 亿 m^3，有此缩减量，就可以开始有计划地改造到处都有淹没现象的全部灌溉土地。

(2)在本地区有约 30%的可耕地因"次生盐碱化"不能耕种。其主要农作物——棉花的收成大约为平均指标的 1/3。而这些土地的灌溉和每年的冲洗所消耗的新鲜河水大致为定额的 2 倍。暂时停耕这些土地，就可以为咸海腾出一部分河川径流，并开始有计划地改造灌溉系统，以便能恢复往日的灌溉耕作传统。

(3)回归分析法证明，中亚及哈萨克南部水浇地的综合收成不取决于灌溉水量,该地区相应的相关系数平均低于0.5,而在某些加盟共和国甚至是负数。这就证明,近年来在该地区已经生根的耗水量政策具有反科学性和掠夺性。

(4)中亚各国每年回归水总量为300亿 m^3,这些回归水几乎全部泄放进许许多多的污水贮水池。现在大多数贮水池,甚至最大的萨雷卡梅什湖和阿尔纳萨依湖都变成了病菌和以往沉积的毒性灰尘和盐分的发源地。必须永久地废除这些贮水池,使腾出的水流入咸海,以便恢复其净化该地区的作用。

(5)锡尔河上的加尔达林水库以及阿姆河上的秋雅穆云水库的建造,是为了完全截断流向咸海的径流,它们也拦截流往下游的回归水,还浸没了广阔的灌溉田地、阿姆河上的希文绿洲和锡尔河上的饥饿草原。必须完全废除这些水库以及下游其他水库,以便为河川径流打开进入咸海的通路。

(6)改造已有的灌溉系统,减少非生产用水损失。对已有的大型主干渠道(卡拉库姆运河、阿姆布哈尔干渠、卡尔希干渠)用整浇混凝土或聚合物混凝土做护面,仅此就可以节约20%~30%的取水量;应该禁止修建渗漏损失比较大的土槽渠道,灌溉系统应该由有防渗护面的渠道组成。

(7)在节约灌溉用水的同时,还应制定、施行人工增大山区降水量的措施。这里还必须特别注意增大冬季降水量,这样可以恢复遗留冰川的正常平衡。遗憾的是,迄今尚只注意到夏季降水,这反而会加剧冰川的融化过程。应该加强冬季人工降雨的研究,以增加山区冰川的储存量。

5.1.2 修复生态环境的综合措施

我们再来看看一些国际组织这几年所做的工作。近几年来,拯救咸海国际基金会已研制出一系列改善咸海流域生态环境的设计方案,其中包括工程措施和非工程措施两大类。但是由于资金匮乏,到2003年6月为止,真正落实并正在实施的仅有下面的报道。

1997年12月[27,85],一项"水资源与环境管理工程"得到拯救咸海国际基金会的批准。该项目投资2 300万美元。这项工程对咸海流域水资源过度使用(特别是在灌溉用水方面)的根本原因以及如何减少用水进行调查分析。该项目包括以下部分。

(1)水资源及盐务管理。为在水资源和盐务管理方面形成统一的方针、政策和行动做准备(投资830万美元)。

(2)提高公共意识。对公众进行普及教育,提高保护水资源的意识,并与政府制定的政策和决定保持一致(投资310万美元)。

(3)大坝和水库管理。完成独立的大坝安全评估、提高运行可靠性以及保证大坝的可持续发展(投资260万美元)。

(4)跨国界水量与水质监测。为跨国界水量与水质监测创造基本条件(投资360万美元)。

(5)湿地改造。恢复阿姆河三角洲附近的湿地地区,以保护全球生物的多样性(投资390万美元)。

(6)项目管理资助。资助拯救咸海国际基金会执行委员会进行环境项目管理(投资190万美元)。

其中,"大坝和水库管理"子项由英国和澳大利亚的两家公司来完成。他们选择了10个有代表性的样板建筑物进行评估[27],其中包括高215 m的托克托古尔混凝土重力坝和世界已建的最高土石坝——高300 m的努列克坝。这些坝在1995年由世界银行所作的40项研究中,被列为"最严重的险坝"。"大坝和水库管理"子项包括以下主要内容。

(1)继续对该地区进行独立的大坝安全评估,提高大坝安全性,解决泥沙问题和进行投资规划。

(2)在试点的基础上对选定的大坝改进其监测与预报系统。

(3)对大坝整治的首选方案提出详细的设计研究报告。

"大坝和水库管理"子项于2001年结束。其他子项尚未见到工程进展的报道。

联合国粮食和农业组织水利和土地开发司在2002年编写的"苏联国家的灌溉发展"报告中[3],对拯救咸海生态环境提出了以下建议。

由于咸海流域的水资源目前大致稳定或略有减少(因气候变化所致),需要采取行动来节约目前上游使用的所有额外水量,使其流入咸海。这需要一项重大计划来减少江河和沟渠的水耗,主要靠做防渗护面和配水自动化，以及停止扩大灌溉、对现有的灌溉区普遍实行微灌和其他节水技术，将排水和水库及沟渠的其他溢水直接调往咸海，并将未消耗的水量调往咸海等措施来实现。据世界银行称采用水的市场化管理也可帮助节约更多的水量。

把咸海和两个三角洲(应该是指阿姆河和锡尔河的河口三角洲)当做"第六国"，由五个中亚共和国共同配水。在国际会议的讨论中，为改善咸海的生态环境，提出了中水年每年向咸海输水 200 亿 m^3/a，枯水年份每年输水 120 亿 m^3/a。

设想更多使用回归水，并引进抗盐性更强的作物，每年大约 60 亿 m^3 的回归水被直接再次用于灌溉，每年大约 370 亿 m^3 的回归水返回天然洼地和江河，与淡水混合，可以再次用于灌溉或其他目的。这些措施已经部分实施。

几个国家已经实行收取水费，用水量超过农业配额实行罚款，将按灌溉计划种植作物的决策权交给农民。因此需水量大的作物——哈萨克斯坦的水稻和土库曼斯坦及乌兹别克斯坦的棉花已为其他需水量少的作物部分替代。这些改革可促成减少取水量，但这使计划和水分配监测更加困难。

这些改进可以进一步发展灌溉，但它们被视为不可持续的发展。中亚五国已决定目前重点关注需求管理，旨在提高总体灌溉效率、减少每公顷的取水量：这就要求进行沟渠恢复和防渗护面工作，以及更好地安排灌溉沟渠的管理，以便减少水的消耗。主要目标仍然是满足作物的用水需求。由于可用资金非常有限，将逐步实施这些措施，主要依靠国际援助。

据有关报告报道，在阿姆河三角洲出现令人可喜的迹象。自 1989 年以来，乌兹别克斯坦的一个项目利用回归水网络将更多的水引入三角洲。这一水量加上淡水可补充浅水湖，使荒废地区的植物和野生生物恢复生长，终止先前暴露海床的风蚀情况。这一项目的另一成果是鱼类年捕捞量增加，估计 1993 年为 5 000 t，而 1988 年仅有 2 000 t。

还有人说，为了把咸海流域从生态危机状态中拯救出来，只有一类措施是不够的，应该建立包括司法的、政治的、技术经济的和财政的等各个方面的措施。

乌兹别克斯坦农业和水利部负责水资源研究、规划、开发及分配、工程施工、灌溉与排水网络的运行及维护[35]。配水是在严格限制取水的基础上进行的。为了满足新的用水户，增加流入咸海的水量，这种限量在不断减少。每公顷的用水量已经由 1980 年的 17 500 m³ 减少到 1997 年的 10 800 m³。总灌溉取水量已由 1990 年的 582 亿 m³ 减少到 1997 年的 456 亿 m³。

根据现已掌握的资料，在咸海流域生态环境治理和恢复方面，只能说是刚刚才开始，还未取得重要的进展。目前，咸海流域内各国都想在尽可能短的时间内取得较大进展，使咸海流域生态环境有明显改善，以此来促进社会和经济全面发展。但是制约咸海流域生态环境改善的因素很多，而最主要的有两点：一是经济——财政条件，二是国家利益和整个流域利益的协调。苏联解体把已经处于困境的中亚各国经济推向崩溃的边缘。中亚各国独立后，尽管认识到了已日益恶化的生态环境，但根本无力来改善和治理，这使生态环境问题不仅未能解决，反而继续向恶化的方向发展。各国政府能够做的，无非是停止一些污染源的工作，而面对大量的与生产和生活相联系的污染就显得无能为力了。1997 年 2 月，中亚各国决定将国民收入的 0.3%交给拯救咸海基金会时，塔吉克斯坦总统拉赫莫诺夫说，这个数目对他的国家预算来说"太大了"。当然，塔吉克斯坦的经济状况最糟，支付更困难，但这一事例从一定程度上说明了各国的情况和态度。

5.2　工程措施

在工程措施中，主要有以下一些方案。

5.2.1　从西伯利亚河流引水的方案

早在苏联时期就对这一方案进行过许多研究和规划。20 世纪 70 年代中期[19]，苏联曾制定了一个"北水南调"计划——中亚—额尔齐斯运河(见图 5-1)。按照该运河的设计方案，运河干线起自鄂毕河的汉特—曼西斯克，途经额尔齐斯河上的托博尔斯克城，沿托博尔河河谷右岸前进，越过图尔盖分水岭，经图尔盖河流域和咸海以北的滨海地区到达锡尔河，再继续向前抵达阿姆河的乌尔根奇。应该指出的是，当初，建设西伯利亚运河的首要目的原本是增加灌溉用水量，而非给咸海补水。运河设计宽度为 200 m，深 15 m，总长 2 300～2 500 km（因线路方案不同，距离不一样），扬程 80～90 m，要设 5 座特大型提水泵站；运河总的工程量为：土方工程量 140 亿 m³，混凝土和钢筋混凝土 500 万 m³。运河一期工程调水 272 亿 m³，二期调水 600 亿 m³，合计 872 亿 m³，约占咸海流域地表水资源量的 75%。该运河的主要设计方案已在 1982 年经过了国家评审委员会的评审，并于 1984 年 6 月由国家计委宣布正式实施。然而，正当这一工程的准备工作紧张进行之际，1986 年 8 月苏共中央和苏联部长会议又突然宣布停止"北水南调"工程的设计

图 5-1　中亚—额尔齐斯运河示意图

和施工，并撤销本五年计划中规定的有关项目。这种做法，无异于给中亚各国人民当头一棒。可以说，这是戈尔巴乔夫上台后干的第一件大蠢事[71]。1988 年[86]，戈尔巴乔夫在视察中亚各共和国时，应咸海流域代表团的请求，曾答应恢复西伯利亚运河建设问题的研究。

　　随着苏联解体，该工程曾销声匿迹 10 多年。进入 21 世纪后，中亚各国的经济逐渐好转，中亚各国的领导人又重新提出了这个问题。中亚的总统及其助手们曾在各种会议上甚至在外交场合提出重新研究和评估西伯利亚运河的方案，呼吁国际社会关注和支持该方案，更殷切希望俄罗斯能把这个问题的解决提上议事日程。同时，中亚的领导人曾把这个问题提交给世界银行委员会研究，但是世界银行拒绝研究这个问题。值得一提的是，2002 年 12 月[87]莫斯科市市长卢日科夫重提兴建西伯利亚—中亚运河工程。卢日科夫指出，向中亚地区出售淡水有利可图；运河能分别为中亚地区和南西伯利亚地区增加约 200 万 hm² 和 150 万 hm² 的耕地。不过，卢日科夫的

讲话在俄罗斯遭到了一片反对声，有人大骂卢日科夫是疯子。但是卢日科夫的讲话引起了俄罗斯媒体和中亚媒体的广泛关注，现在，无论是在俄罗斯的报刊杂志、新闻网站上，还是在中亚的各种新闻媒体上，都有关于中亚运河的讨论、辩论甚至争论。应该说，该工程的各个方面都有说法，有从政治的、经济的、法律的、技术的、社会文明的，但更多的是从生态方面的讨论和论述。总体来说，俄罗斯持反对的立场占绝大多数，而中亚从国家领导人到普通老百姓都表示支持这个方案。现在回过头来看，按照苏联当时的国力及其政治号召力，在高度集中的计划经济体制下，完成"北水南调"工程是完全有可能的，尽管经济上有些困难。然而，现如今苏联解体，各加盟共和国独立，要靠一两个国家完成如此庞大的工程，不能说完全没有可能，但困难重重。

5.2.2　由里海向咸海送水的渠道方案

　　该方案也是早在苏联时代就已提出，但其影响没有像西伯利亚运河方案那样大，研究也没有那样深入。现对其作个简要的介绍。

　　1991 年艾哈迈多夫 T.X.、斯皮岑 Л.B.等人提出由里海向咸海送水的方案[81]。他们建议沿乌斯秋尔特高地的水渠由里海送水到咸海，这条线路在苗尔特威—库尔土克湾设置取水口，该处靠近别伊涅火车站，往下则由一些渠段组成，诸渠段连接如下干涸的湖泊：萨姆、阿斯曼塔伊—马塔依和科斯布拉克等盐沼，这些盐沼可用做中间渠段。在此方案中，里海水面提水高度为 120～130 m。最困难的是由科斯布拉克盐沼至咸海的最后 60～70 km 渠段，此处高程在 150 m 以上，最后的 15～20 km 输水道须采用隧洞。

　　当时，里海水位为 28 m，咸海水位为 40 m；调水开始时预期为 31 m，恢复后为 53 m。两个海域之间的分水岭最低标高为 150 m。最佳渠道线路是自里海的布扎奇半岛区取水，并在咸海的阿治拜湾泄水（见图 5-2）。水渠的第一段布置在高程 28 m 处，接近于里海水位。水渠的第二段经过乌斯秋尔特高地，其高程接近 150 m。第三段水渠则从乌斯秋尔特高地下降而入咸海，高程由 150 m 降至 31 m。在第一渠段及第二渠段之间应兴建提水泵站，将水提升 180 m。

图5-2　从里海调水进入咸海的线路示意

　　当时研究了两个向主要泵站输水的方案：用通海水渠经苗尔特威—库尔土克湾（长130 km）沿卡伊达克盐沼，并由科恰克湾向卡伊达克盐沼输水（渠长235 km）。

　　（1）经水深为0.3～1.0 m的苗尔特威—库尔土克湾输水，要求修建深4～5 m、宽800 m、长130 km的水渠。由于里海朝向苗尔特威—库尔土克湾入口的这一部分水深很小，实现这一方案时，仍会出现非常复杂的情况，这就要求将海防堤推进到开敞的海域，用以防浪及防冰。

　　（2）若自科恰克湾取水，为了通过里海与卡伊达克盐沼之间的狭窄地带，必须修筑长50 km、宽500 m及深35 m的水渠（也可能采用隧洞方案）。同时，卡伊达克盐沼用长25 km、高6 m的挡水堤与苗尔特威—库尔土克盐沼隔断。

　　这一阶段的研究认为第二方案较好。利用1号泵站自科恰克湾向卡伊达克盐沼充水。提水高度为20 m；泵站功率为36万kW。

　　为了由卡伊达克盐沼向乌斯秋尔特高地输水，需要建第二个泵站，提水高度为200 m（设计水头损失），泵站功率为360万kW。1号及2号泵站的压力输水道做成隧洞。

　　沿乌斯秋尔特高地采用水渠输水，渠宽600 m，渠深6～8 m，坡度为0.000 01。水渠设置在半挖和半填的地段。渠水流速等于0.4～0.5 m/s。若为渠道做防渗护面，则流速可能会提高，渠道的横断面面积则会相应减小。

　　在渠线末端，水由乌斯秋尔特高地下泄入咸海，可装设水电站利用100

m 以上的落差，以部分补偿由里海提水至乌斯秋尔特高地所消耗的电能。

初步计算表明，按此建议恢复咸海的全部工程费用一般为 140 亿~150 亿卢布(已计入向泵站供电的火电站或核电站的造价，按照苏联当时的官方汇率为 202 亿~217 亿美元)。这一费用系按 20 年蓄满咸海且所需流量为 1 800 m³/s 来计算确定的。

自然，咸海恢复的费用很高，但与已经造成的损失相比，这一费用是合算的。

咸海灌满后，水渠上的泵站可用做抽水蓄能电站，在泵站装设泵轮机，并用挡水建筑物将部分水渠隔断。

然而，这个方案有一些重大的缺陷，其中最主要的是，供给咸海的水都是不能饮用和灌溉的咸水和苦咸水。工程造价高，抽水电能消耗大，到咸海沿途因蒸发、渗漏和地下含水层的渗流等非生产损失很大。

用水泵从里海向咸海抽水在技术上是可以实现的。但是抽水每年需要约 180 亿 kW 的电能，因为里海的高程比咸海低了 80 m。每年所需要的电能占乌兹别克斯坦生产电能总量的 38%。

5.2.3 由里海向咸海送水的管道方案

与上述方案不同，最近专家们提出了一个高效的生态安全的综合方案(见图 5-3)。

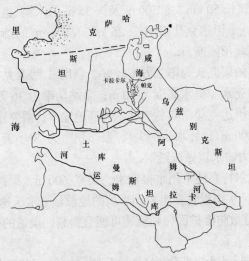

图 5-3 管道敷设示意

新方案具有以下特点[88]。

第一，新方案的连接不是海，而是卡拉博加兹戈尔湾与阿姆河的连接(位置是在乌兹别克斯坦的卡拉套市以上，这里主河床位于土库曼斯坦与乌兹别克斯坦的边境)。

第二，将里海与卡拉库姆运河连接，从里海抽水进入克拉斯诺沃茨克地区。

第三，上述连接不是用渠道，而是用管道(输水管)连接。

第四，用南北两条管道，输送的水不是含盐的海水，而是净化到标准指标的饮用水。

第五，北输水管有一个不大的分支，它向萨雷卡梅什绿洲的盆地输水。

第六，与此同时打井给局部地区(包括沿输水管的周边地区)供水。

据提出该方案的专家们称，这个方案旨在解决许多非常重要的问题：

(1)拯救咸海；

(2)给阿姆河及其支流和三角洲充水；

(3)给卡拉库姆运河补水，让其完全发挥功能；

(4)让锡尔河间接地发挥良好的作用；

(5)从里海抽取多余的水，使卡拉博加兹戈尔湾恢复活力和自动净化；

(6)恢复萨雷卡梅什绿洲及其周围的绿洲；

(7)修复中亚各国的生态环境，部分地消除饮用水的短缺；

(8)在理智的范围内(与现有的范围比较)扩大灌溉面积和提高阿姆河和咸海的灌溉系统的效率；

(9)恢复咸海周围及其本身的基础设施、工业和生活保障系统；

(10)在卡拉博加兹戈尔湾和新输水管沿线发展工业、农业和住宅生活区；

(11)组织国际性财团"顺便"解决独联体的中亚各国一些紧迫的问题；

(12)在各个项目的施工过程中组织新的工作岗位和让已有的基础设施发挥功能。

根据这个方案，北管道以最短的距离连通两个水域，其长度约为500 km(对主干管道来说，这个距离不算很长)。从卡拉博加兹戈尔湾取水送给阿姆河比直接联通两个海更合算。在这个方案中可"顺道"改善海湾及其沿岸的生态环境，用众所周知的水坝来恢复已被破坏了的自然平衡，使这个水域用自己的资源进行自净化，向阿姆河充水，改善水—生态平衡，增加长 200 km 的土地肥沃的河流三角洲平原的农产品产量，显然，阿姆河在利用了所进入的部分水量后能稳定自身的径流量，并将逐渐增加对咸海的补水量。随着咸海的恢复，部分水流可以流向更大的萨雷卡梅什盆地。更重要的一点是，南北两条输水管线只在一个国家(土库曼斯坦)的境内敷设，只有一个主人，因此可成功地避免管道的"交接"问题。

　　管道 U 形敷设于卡拉博加兹戈尔湾，这意味着既可从该海湾取水，也可以从里海取水。在海湾沿岸计划布置太阳能和风力发电装置以及海水净化站。从图 5-4 中可以看出，泵站将净化过的水从等于里海东部沿岸高程的海湾基坑中抽出，然后水沿着主干管道输送，这时水依次抬高到切柳克垒和卡兰基尔高地(最大海拔高程为 350 m)。在这些高地最好把管道埋深一些，在管道上套上混凝土外圈。为了提高水系统功能的可靠性和过水能力，建议敷设两条平行管线(每条管线的过水能力不小于 2 000 m³/h)，深埋管道可降低提水能耗，然后水自流或用位于萨雷卡梅什绿洲的泵站提水进入阿姆河。

图 5-4　卡拉博加兹戈尔—阿姆河北管道示意图

从里海到卡拉库姆运河的南输水道，建议也用管道敷设，输水管的作用是消除卡拉库姆运河的缺水，大大减少从阿姆河取水。这条管道从里海的克拉斯诺沃茨克湾取水，管道干线沿着克拉斯诺沃茨克至查尔朱的铁路和公路敷设，管道的末端到卡赞吉克市附近，现在卡拉库姆运河已修到那里。这条管道总长 200 km，也是在里海沿岸把水净化到饮用水质的标准才输送。管道全部在土库曼斯坦境内，不仅能解决该地区的水平衡和生态问题，而且可解决相邻国家和整个阿姆河的问题，因此是个国际的输水干线。

南北管道彼此并不相连，各自是独立的，彼此之间相隔约 150 km，但都是从里海取水，位于同一个国家，其管道、水泵、净化站等都是一样的。

5.2.4 正在实施的大小咸海分隔方案

2002 年[89]，"锡尔河河床和咸海北部水域的调节"工程方案得到了世界银行的资助。在该项目中确定了一系列必要的工程措施。现在世界银行选择了一些刻不容缓的工程，并表示同意拨款 8 580 万美元来实施这些工程。该项目包括以下部分：

(1)兴建隔开北部咸海的大坝和泄水道(投资 2 320 万美元)；

(2)兴建阿克拉克水利枢纽(投资 1 760 万美元)；

(3)兴建艾捷克水利枢纽(投资 1 525 万美元)；

(4)维修克孜勒奥尔达和卡扎林斯克水利枢纽(投资 440 万美元)；

(5)兴建防护堤(投资 370 万美元)；

(6)恢复沙尔达林大坝(投资 1 450 万美元)。

2003 年 4 月 13 日，哈萨克斯坦共和国总统纳扎尔巴耶夫出席了"兴建隔开北部咸海的大坝和泄水道"工程的开工典礼，该工程正式开工建设，预计 2~3 年后即可完工。根据该工程的设计，计划将小咸海的水位恢复到 42 m 绝对标高，水面面积 870 km^2，蓄水量为 115 亿 m^3，海水矿化度降到 17 g/L。小咸海水盐状态的稳定打算用锡尔河的来水量(30 亿 m^3/a)和排入大咸海的冲洗水(6 亿 m^3/a)来保证。根据设计，主要水工建筑物有：隔开贝尔加海峡的主堤坝(长 12.7 km，填方体积 200 万 m^3)和位于科卡拉尔半岛基岸上的泄水道(过流能力 500 m^3/s)。用当地砂土建筑的堤坝的稳定性靠用非常平缓的上游坡(比降 1∶48)来保证，这种边坡能够消减潮汐和风浪对坝的冲击。工程建成后，希望小咸海的充水及水盐状态的稳定能在很大程度上防止咸海东北部沿岸地区和锡尔河三角洲地区沙漠化过程的发展。同时在咸海淡化了的水域中为养育当地鱼种创造良好的条件，可增加工业捕鱼量 11 700 t，改善咸海北部沿岸居民的社会经济状况和增加就业岗位。

实际上，早在 20 世纪 80 年代[59]，就有了在大咸海和小咸海之间筑堤的设想，1991 年就曾直接筑堤，但很快被冲刷掉了。

1994 年，启动了用当地材料建筑堤坝的工程。堤坝建成后停止向大咸海泄水。小咸海水位逐渐上涨，从 37 m 升高到将近 43 m。小咸海水的含盐量开始下降，在河口区附近形成了淡水区，在该区域开始出现河鱼种群。

但是，在 1999 年 4 月，堤坝经受不住水的冲击，再次垮塌。砂土堤坝保持 5 年表明，类似的建筑物是能够长久存在的。垮坝的主要原因是没有一种能把小咸海水位维持在 42 ~ 43 m 之间的水工建筑物。当水位升高并威胁到堤坝安全时应将多余的水排放到大咸海，而水位下降时停止泄水。

为避免这一结果，人们决定建一个人工堤坝封住运河，阻止运河之水流入大咸海。1992 年早期第一次建坝，但是水流涌出，冲走了堤坝。第二次尝试成功是在于同年的 8 月，堤坝高 1 m。然而此后又发生了好几次决堤。

地方政府于 1996 年开始加固堤坝，拯救咸海国际基金会也于 1998 年开始筹资兴建奥卡拉尔大坝。这项工程考虑了溢流出口的建设。

此大坝的兴建对咸海地区有着重大的经济和生态作用，其目的不仅在于隔离大小咸海，而是使小咸海的水平面上升至海平面以上 40 ~ 42 m。如果水量过剩，就可让其通过溢流出口或欧济克奥卡拉尔海峡流入大咸海。流入小咸海的水量逐渐增加，覆盖了盐床，这样该地区的盐尘暴就会比往年更少。小咸海的水平面上升还会给当地居民带来心理上的安慰，因为他们认为这是生活好转的好征兆。

5.2.5 上述措施的组合

由于上述解决问题的单个方案都不理想[76]，甚至在现阶段也不可能简单地实现。用水泵从里海抽水因其矿化度较高是个最不适用的方案，但是，如果从流入里海的河流调出部分水流进入咸海，这是较可取的方案。

大量节省锡尔河和阿姆河的径流也是非常有可能的。

调出西伯利亚河流的部分径流也是有可能的，即使是用于土地的灌溉供水，这同样可以减少从锡尔河的取水量。

有人提出将上述的工程措施和非工程措施结合起来，这样就能在比较短的期间内遏制咸海生态环境的继续恶化，从而达到改善咸海流域生态环境、提高咸海流域社会经济效益的目的。

第六章 利用跨境河流水资源的国际合作

6.1 加强水资源的统一管理

早在 1977 年，从阿姆河和锡尔河的取水量总和高达 1 200 亿 m³ 以后，造成整个咸海流域水资源短缺，流域内各加盟共和国为用水纷争不断，甚至造成人员伤亡的事件。从而促使苏联水利部决定实行水资源的集中统一管理。就这样，1984 年 7 月和 1987 年 3 月分别在锡尔河流域和阿姆河流域实施总体规划。1987 年 8 月 27 日，根据苏联政府的决定，苏联水利部命令成立了跨加盟共和国的"阿姆河流域水资源管理局"和"锡尔河流域水资源管理局"。应该说，从这时开始，在水资源管理上，结束了那种条块分割、各地为政的局面。后来，流域管理局改名为流域水利联合公司。阿姆河水利联合管理公司管理着 84 座水工建筑物(其中包括 36 座首部河道取水口)、169 个测水站、386km 的跨国渠道，以及与之有关的交通(公路和通讯)、供电和技术设施等；同样，锡尔河水利联合管理公司也管理着锡尔河流域的主要水利枢纽和取水建筑物及相关设施。

1991 年，特别是在灌溉季节，苏联土壤改良和水利部实际上已不参与咸海流域水资源的管理和用水国之间的水量分配。中亚和哈萨克斯坦跨境河流水资源分配的中央管理系统实际上已停止活动。在用水问题上产生了国家之间的冲突的现实危险。同年 10 月，中亚各国的水利部长在塔什干开会[90]，讨论在复杂的政治形势下怎样组织咸海流域未来的水资源管理问题。从此以后，新独立的各国决定筹划地区水资源管理战略，但在没有实施新的水资源分配协议之前约定要遵守现行的方针。1992 年 2 月，中亚五国水利机构的领导，受权代表各自国家的政府就咸海流域水问题进行谈判，在跨国河流水资源的利用和保护共同管理的氛围下，各方就跨国河流水资源的调节、合理利用和保护在阿拉木图签署协议，在同等条件下成立跨国水利协调委员会，并且在该协议的基础上，制定和通过了跨国水利协调委员会的原则、成立锡尔河和阿姆河两个流域水利联合公司，以及后来通过了成立跨国水利协调委员会科技信息中心(原中亚西亚灌溉科学研究所改制，在塔什干)和跨国水利协调委员会秘书处(在列宁纳巴德)。跨国水利协调委员会的组成机构如图6-1。

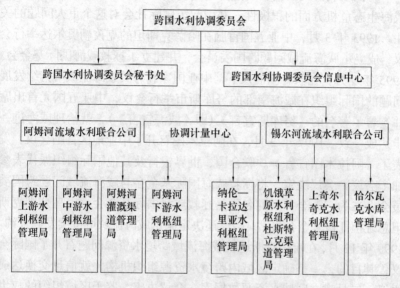

图6-1　跨国水利协调委员会组织机构

　　跨国水利协调委员会成功地防止了在国际水量分配方面可能产生的冲突局势，其主要活动是维护流域水资源的稳定管理，同时解决远景发展问题。跨国水利协调委员会制定和实施了一系列水资源利用、保护和管理等各个方面的大纲。两个流域水利联合公司和科技信息中心是跨国水利协调委员会的执行机构。两个流域水利联合公司直接执行跨国水利协调委员会的决议，管理流域的水量分配，维持供水和放水曲线，管理水质等。科技信息中心是制定咸海流域水利事业未来发展的原则和途径、完善和改进生态环境管理的科学分析和信息机构。科技信息中心与中亚五国的科研和设计机构的信息网一起活动，在四个国家有分支机构。来自世界各地的信息经信息中心加工后，发送到中亚国家的农业部门。科技信息中心定期出版跨国水利协调委员会的新闻稿，新闻稿中主要报道跨国水利协调委员会和拯救咸海国际基金会的各方面的活动，发表中亚专家对水利事业发展的意见，发布跨国水利协调委员会的纪要和决议，总结国际水资源管理和保护的经验，探讨水权问题，等等。

跨国水利协调委员会的成立及其有效活动提高了中亚各国在克服咸海生态危机方面的积极性，并引起了国际社会对这个重大问题的关注。1993 年 3 月，中亚五国首脑在哈萨克斯坦的克孜勒奥尔达举行会议，成立了咸海流域问题跨国委员会，并建立了拯救咸海国际基金会。1995 年 9 月，在联合国倡议下，中亚国家和有关咸海流域可持续发展问题的国际组织在咸海南部的努库斯市举行会议，中亚五国元首出席并签署了著名的《努库斯宣言》（即《咸海宣言》），就治理咸海进一步达成一致。1997 年 2 月，在阿拉木图召开了中亚地区首脑会议，发表了《阿拉木图宣言》。联合国、世界银行及其他国际组织派代表参加了会议。会议决定，将拯救咸海国际基金会与咸海流域问题跨国委员会合二为一，合并后的名称是拯救咸海国际基金会，由乌兹别克斯坦总统担任该基金会主席。会议还决定制定咸海流域可持续发展公约。1999 年 12 月，在哈萨克斯坦就咸海流域跨境水资源问题召开了国际会议，其目的，一是确定区域内跨境水资源组织机构并就信息交换达成协议；二是建立区域水资源数据库。会议决定，鉴于区域组织的权力有限，跨境水资源问题的协调应在政府级别上进行。这次会议对协调中亚国家在水量分配及解决已出现的矛盾方面具有重要意义，同时它是一个重要标志，说明中亚国家在水资源问题的区域协调和管理方面迈出了关键的一步。

近几年来，在跨国水利协调委员会（主要任务是水资源的管理）和拯救咸海国际基金会（主要任务是筹集资金）这两个国际组织的领导下，通过并签订了水资源利用、保护和管理的一系列协议和文件，恢复和加强了咸海流域水资源的有序管理；同时通过各种途径也筹集了一些资金，使一些必不可少的工程得以开工建设。

此外，由于咸海危机的影响已远远超出了区域界限，具有越来越广泛的意义，因而全世界都在注视着它的变化。联合国、世界环境组织、世界银行、欧盟等国际机构和一些国家多次召开以咸海为题的会议，研究讨论咸海的现状和未来。

近几年来，为了协调和解决咸海流域的水资源问题，多方参加的国际会议一直不断。例如，2002 年 10 月[72]，中亚各国政府首脑在杜尚别通过了在拯救咸海国际基金会范围内制定新纲领的决议，确认了新纲领的主要方针并委托拯救咸海国际基金会的执行委员会与跨国水利协调委员会一起根据各国政府机构的协议，研制《2003～2010 年间改善咸海流域内生态和社会经济状况的具体行动纲领》。新纲领的主要方针是：①制定咸海流域水资源综合管理的协调机制；②水利设施恢复和水土资源利用的改进；③环境监测系统的改进；④防止自然灾害的纲要；⑤促进解决地区社会问题的纲要；⑥加强跨国机构的物资、技术和法律基础；⑦制定和实施径流形成区自然保护措施的地区和国家纲要；⑧制定和实施在中亚各国经济部门合理用水的地区和国家纲要；⑨研制和实施咸海沿岸居民点的生态、卫生保健和自然生态系统的国际纲要；⑩研制修复生态稳定性和生物产量的国际纲要；⑪咸海流域稳定发展的构想；⑫防治荒漠化的地区行动纲要；⑬阿姆河和锡尔河下游水沼泽地的发展；⑭回归水的合理利用。

2003 年 10 月 6 日[73]，为期两天的中亚四国合作组织首脑会议在塔吉克斯坦首都杜尚别闭幕。会议着重就防止咸海生态灾难的问题进行了讨论，并呼吁全球关注咸海流域的生态保护工作。据报道，哈萨克斯坦总统纳扎尔巴耶夫、乌兹别克斯坦总统卡里莫夫、吉尔吉斯斯坦总统阿卡耶夫和塔吉克斯坦总统拉赫莫诺夫参加了会议。塔总统拉赫莫诺夫在会上说，咸海问题不仅困扰中亚地区，而且已经成为全球性的生态危机。吉总统阿卡耶夫对咸海的现状表示严重担忧，他希望国际社会对这一问题给予足够重视。乌总统、中亚合作组织主席卡里莫夫则建议在联合国框架内成立咸海问题委员会，把咸海保护问题国际化。

应该说，跨国水利协调委员会和拯救咸海国际基金会成立以后，做了大量的工作，也取得了一定的成效。特别是在用水管理上，两个流域公司严格按照跨国水利协调委员会的指令，根据所商定的供水路线向各国供水，使得中亚各国这些年来没有因用水而发生大的冲突。但是，这些年来，由于各国对许多问题认识不一致，特别是对分水原则分歧较大，从而造成对这些国际合作组织的看法也不一样。这些国际合作组织多年的运行实践也表明了其本身确实存在一些缺陷。归纳起来，主要表现在以下几个方面：

(1)各国对拯救咸海国际基金会、跨国水利协调委员会、流域水利联合公司的作用产生分歧；

(2)现有机构之间缺少必要的相互制约作用；

(3)作出协商决议的国际程序的法律基础不完善；

(4)对进一步完善国际合作机构体制的方式存在分歧；

(5)缺少保证国际机构有效活动的协商程序；

(6)对水作为商品和在国际分水实践中采用有偿用水制度存在分歧。

虽然有以上一些不同的看法和机构本身的不足，但是支持和发展国际合作的主题没有任何人怀疑。同时采用新的合作方式需要制定相关法律、改革其组织和财务机构等，因责任重大而需要做艰苦细致的工作。因此，暂时不会通过改革现有机构的彻底解决措施，而是要在水资源管理领域调整所有机构的职能，改进现有机构执行职能的程序和逐渐增进国际合作的理念。

6.2　解决各国用水矛盾的措施

从图 1-1 中可以看出，咸海流域的主要河流——锡尔河和阿姆河都是跨越国界的国际河流。锡尔河和阿姆河主要发源于咸海的东部和南部山区，分别位于吉尔吉斯斯坦和塔吉克斯坦境内。在山区，水补给充足，水质好、落差大，是建立水库和水电站的理想区域。因此，吉尔吉斯斯坦和塔吉克斯坦自然希望开发本国的水力发电潜力。而且在这些国家，电能需求在冬季达到最大值，这就要求在枯水季节加大水库的排水量。而河川水流出山以后，进入乌兹别克斯坦、哈萨克斯坦和土库曼斯坦境内。在这三个国家集中了适合农业耕种的土地，河水则主要用于灌溉和工业生产及居民生活。因此，三国对水资源用于灌溉的机制非常关注。而灌溉所需水量最大值却出现在作物生长旺季——春季和夏季。正是这些基本状况使处于流域不同位置(即上、中、下游)国家之间存在着许多矛盾和分歧。

应该指出的是，第二章中所叙述的调水灌溉工程和水力发电工程绝大多数都是在苏联时期建成的。中亚各国独立后有许多水利工程变成了跨越国界的国际工程，其中包括表 2-1 ~ 表 2-3 所列的大型运河和连接渠道、集水设施、大型干支水库和几百万公顷的灌溉土地。它们原本是一个以流域内大量供排水系统为基础的不可分割的共同体，每个国家的经济都在很大程度上取决于跨境水利工程的运行效率。现在中亚各国都是主权独立的国家，可能为跨境河流和这些跨境工程水资源的利用而引发国家间的争端，解决不好，演变成"为水而战"。到目前为止，中亚国家间虽然没有因为用水发生过武装冲突，但是潜在的危险依然存在。水可能成为国与国之间紧张局势和激烈竞争的根源。塔吉克斯坦与乌兹别克斯坦曾因边境土地的耕种和水资源利用发生过争执。上游国家和下游国家有时相互指责对方过量用水。

实际上，早在 1977 年，当从锡尔河和阿姆河的取水量总和达到 1 200 亿 m³ 时，中亚五国就为水资源的利用争论不休，当时苏联水利部就曾出面调解过。1982 年，由于从两河的取水量过大，咸海水位加速下降，对咸海和两河的水路运输和渔业生产已有重大负面影响，苏联政府决定制定阿姆河流域和锡尔河流域水资源的总体规划，采取严格限制每公顷土地取水量的措施并决定对中亚五个加盟共和国进行水资源分配，即主要是根据棉花的种植面积对各加盟共和国采取配给供水制，限制各国的用水量。当时的用水指导思想还是以农业灌溉为主，而对其他部门的用水不足进行补偿。那时全苏联为一个主权国家，水资源(包括其他能源)的管理由中央集中统一调配。例如，为解决塔吉克斯坦的冬季能源(电力)短缺问题，可从哈萨克斯坦调运大量的煤炭供给塔吉克斯坦发电，或者从中亚联合电网上向塔吉克斯坦供电，从而把努列克水库的水留到春季或夏季供给乌兹别克斯坦和哈萨克斯坦作灌溉用水。现在因苏联解体，原有的经济关系也随之破裂。在市场经济条件下，这些新独立的国家在水、燃料和电能等自然资源利用方面出现了比以前更大的矛盾。

这种矛盾集中表现在托克托古尔水利枢纽的利用上[91]。根据托克托古尔水利枢纽的设计方案，这一水利枢纽首先用于灌溉，目的是提高水浇地的供水保障并增加新的水浇地。这种用水制度实际上通过提高供水保障而促进了中亚国家的经济发展，并保证了水浇地的增加。

另一方面，修建托克托古尔水库导致了 2.84 万 hm² 的土地被淹没，其中包括 2.12 万 hm² 农业用地，而其中水浇地为 1.25 万 hm²。除此之外，该水库因为将蓄水用于灌溉，冬季纳伦河下游的水电站的发电量便减少了。

苏联时期，吉尔吉斯斯坦可以得到乌兹别克斯坦提供的天然气、哈萨克斯坦提供的煤炭、俄罗斯提供的石油产品和煤炭等资源，以补偿它因农用地淹没及秋冬季水力发电量不足等遭受的损失。

苏联解体之后，从 1992 年起，吉尔吉斯斯坦获得的补偿性能源供应大大减少，这导致该国的火力发电站不能正常运转。同时，由于该国没有天然气和煤炭资源，公众日常生活中的用电需求急剧增加。

吉尔吉斯斯坦为了扭转国内电力不足的局面，开始使托克托古尔水库的功能向发电方向倾斜。水电站发电量最大的季节变为冬季，发电用水 60 亿~85 亿 m³。这样，使得水库灌溉用水减少到 45 亿~65 亿 m³。

托克托古尔水库职能的改变造成了以下后果：

(1) 中亚地区经营环境恶化(农业灌溉用水严重不足，耕地面积减少，农作物产量下降)；

(2) 居民的社会生活条件恶化；

(3) 流入咸海的水量大幅度减少，造成全流域生态状况更加恶化；

(4) 乌兹别克斯坦、塔吉克斯坦、哈萨克斯坦境内很多农用土地被水淹没；

(5) 流域内生态、卫生、防疫状况严重恶化，特别是在干旱年份，很多河流水量很小，夏季甚至断流；

(6) 托克托古尔水库调节锡尔河水量的能力越来越小，这是其灌溉主职能转为水力发电主职能的后果。

6.2.1　水与能源的交换

上述问题中的任何一个都涉及到中亚各国的国家利益。解决这些矛盾需要建立流域内各国互利互惠、友好合作的法律基础。也就是说，乌兹别克斯坦和哈萨克斯坦的灌溉用水需求可以用向上游国家提供相等数量的能源补偿来满足。从 1995 年起[92]，乌兹别克斯坦、哈萨克斯坦和吉尔吉斯斯坦三国在合理利用水和水能资源的工作会议上多次讨论了水与能源的交换方式，达成初步协议后就开始实施。而三国的政府间框架协定《关于锡尔河流域水及水能资源的利用》是 1998 年 3 月 17 日在比什凯克签署的，同年 6 月 17 日塔吉克斯坦也签署了这个协定及其补充协定。2000 年 6 月乌兹别克斯坦、哈萨克斯坦和吉尔吉斯斯坦三国又续签了关于纳伦—锡尔河流域水资源利用问题政府间协议。现在锡尔河和阿姆河的水资源分配就是根据这个框架协定及跨国水利协调利用委员会每年制定的供水进度表进行的。

根据这个协定，乌、哈两国向吉提供等量的能源(煤炭、天然气、重油和电)以及其他产品以补偿灌溉用水，而纳伦—锡尔河梯级水电站因在植物生长期放水和托克托古尔水库多年径流调节工况所多发的电能应该供给乌、哈相等的份额(见表 6-1)[92]。从表 6-1 中可以看出，各国都没有执行或没有完全执行所承担的义务。

根据 1998 年的协议，现在实行的锡尔河流域水电资源利用模式具有重大的缺陷(没有无条件遵守相互义务的机制、相互计算的复杂性等)，并且没有形成长期用水的保障。利用锡尔河流域水电资源的协议建立在短期的基础上，主要是考虑能源资源的交换利益，但是没有解决长期计划中根据生态系统的方式水资源平衡利用的过渡问题。

在这些条件下，各方根据政府间协议执行己方的义务并向调整长期稳定地利用纳伦—锡尔河梯级水库水资源的水权过渡具有特别的意义。

6.2.2 成立国际性水—能源财团

为了准确地执行协议，近几年来，乌、哈、吉、塔四国政府计划成立国际性水—能源财团[92]。在所达成的各国用水曲线图的情况下，由财团作为财政机构来实现燃料、电和水资源的交换。

根据现在所提出的方案，中亚五国政府是财团稳定工作的担保人，各国相关部门(主要是水利部门)和银行的代表作为财团的创办人进入财团，相应的国际机构和其他法人也可以进入财团。两个流域公司和"能源"公司应该保证所有实施措施的技术支持，并作为执行机构促使资源向必要的方向流动。

财团是财务组织，保证及时支付和清算，同时也是保险机构，对可能造成的损失自己承担。因此，财团应该拥有流动基金和保险基金，

表 6-1　1995～2000 年间水资源和燃料—能源资源利用的政府间协议和纪要的执行情况

指标	1995 年 乌兹别克斯坦	1995 年 哈萨克斯坦	1996 年 乌兹别克斯坦	1996 年 哈萨克斯坦	1997 年 乌兹别克斯坦	1997 年 哈萨克斯坦	1998 年 乌兹别克斯坦	1998 年 哈萨克斯坦	1999 年 乌兹别克斯坦	1999 年 哈萨克斯坦	2000 年 乌兹别克斯坦	2000 年 哈萨克斯坦
植物生长期从托克托古尔水库的放水量 (亿 m³)	65/63		65/62		65/61		65/37		65/50.6		65/65	
植物生长期电力出口 (亿 kW/h)	11/9.28	11/7.82	11/10.77	11/9.95	11/15.93	11/3.59	11/4.89	11/4.686	11/9.7	11/5.853	19.05/19.242	5.8/6.61
给吉尔吉斯坦的供货量　天然气 (亿 m³)	2/2.94		5/4.76		6.3/6.32		7.72/7.48		5/3.31		6.52/2.529	
给吉尔吉斯坦的供货量　煤 (万 t)		98.5/47		60/35.6				56.67/15.04		56.67/57.2		36.25/33.11
给吉尔吉斯坦的供货量　电 (亿 kW/h)	/4.15		6.35/6.65	/40	4/2.99		2/0.74	2.5/1.5			/0.774	

注：数字中斜杠( )前为协议规定数值，斜杠后为实际执行数值。

这些基金来自创办成员的出资和对没有执行所承担义务的参加者的罚款。财团所筹集的货币资金量应该相当于参与水—能源交换和补偿的资源价值。

财团每一个参加者的出资份额根据每一个参与国家对纳伦—锡尔河河水的需要量按比例确定,按照这种方式,吉国为34%,塔国为14%,乌国为36%,哈国为16%。也可以按照各个部门(灌溉农业和水电)利用河川径流所获得的收益按比例确定。

2002年相关媒体就曾报道了要成立国际性水—能源财团的设想,但至今《关于成立国际性水—能源财团的协定》仍处于协商研制过程中,可见这项工作也不是一帆风顺的。

6.2.3 节约用水的基本方针

早在1995~1996年研制的所有国家水战略的基本原则(见"咸海流域水资源管理战略的基本原则",拯救咸海基金会和世界银行,1997)时就已提出节约用水的基本方针,要求地区内所有国家各个部门,特别是农业灌溉要采取一切措施,节约用水,以便与现代技术经济所达到的用水水平相适应。

一些国际组织提出的咸海地区节约用水的主要方向是[15]:

(1)通过确定不同的水价标准,以及用水超过既定标准的罚款制裁,对灌溉农业与其他经济部门一样,实施付费用水;

(2)制定统一的方法,按照所确认的标准严格执行用水定额;

(3)作为第一批指标用水项目,建立节水示范系统;

(4)实施水循环和其他旨在防止田野的水损失和非生产耗费的组织措施;

(5)推广灌溉的新技术和新工艺;

(6)设置渠道防渗护面;

(7)水利系统的综合改造和现代化。

根据合作和一致行动,节水的组织措施的实施原则上靠所有国家。因此,要建立流域委员会,主要是农业部门用水和节水的授权机构。同时,对于各国内部实际上不合理的用水推行相互索赔制,这种索赔阻止了国家间分水协议的达成过程。在这些条件下,不解决分水问题,每一个国家就不承担保证在其境内经济部门通过应用节水工艺而有效用水的责任。

此外，在现代的国际关系下，对于分水的最佳机制，一些国际组织还提出了以下措施：所有各国签署河流水资源综合利用的协议并通过与这个协议相应的分水和用水运行管理的原则；在流域级和次地区级上逐渐过渡到用水一体化(综合)管理，使得所有各国部门、地方机构和用水户代表平等参与这种管理；形成公众舆论和公众参与支持涉及咸海地区所有居民利益的措施。

关于分水问题，一些机构和专家建议模仿以下方式：①确定水资源的原始计算基础，明智地确定未来的定额和用水量；②研制国家间分水的原则和标准；③给每一个国家分配水量定额(限量)的储备；④确定取水和供水曲线图；⑤建立遵守供水曲线图的检测机制；⑥规定国家间分水的法律、组织和经济程序。

达成分水一致是一项需要逐步综合解决的任务，不仅要考虑各国生态和社会经济的变化，而且对于每一个国家要考虑建立统一的用水标准和水保护，包括节约用水的要求。

6.3 法律基础的现状

为了最佳地和最有效地执行国际协定，法律问题的解决首先需要完善国际合作的条约(国际法律)基础和调整地区内所有各国的法律基础。现在，关键的问题是提高中亚国家水关系的国际法律调整效率。这要求在用水方面以新的方式进行国际谈判。考虑国际水权标准和地区内国际关系的特点、国家的法律要求、国家的需要和利益的多边和双边协定应该成为地区水关系的法律基础。

现在，在中亚五国执行以下协定，这些协定都涉及到用水和分水以及与此有关的组织问题。

(1) 1992 年 2 月 18 日，在阿拉木图签订了《哈萨克斯坦、吉尔吉斯斯坦、乌兹别克斯坦、塔吉克斯坦和土库曼斯坦在国际水源的水资源利用和保护的共同管理方面的合作协议》；

(2) 1993 年 3 月 26 日，在克孜勒奥尔达签订了《关于解决咸海和咸海周边地区的问题、生态健康和保证咸海地区社会经济发展的共同行动的协议》；

(3) 1994 年 1 月 11 日中亚国家和俄罗斯联邦政府首脑在努库斯签订了《关于考虑到地区社会经济发展在最近 3 ～ 5 年改善咸海流域生态环境的具体行动大纲》的决定;

(4) 1997 年 2 月 28 日，在阿尔玛塔通过了多方国家首脑决议;

(5) 2000 年哈萨克斯坦共和国政府、吉尔吉斯斯坦共和国政府、塔吉克斯坦共和国政府、土库曼斯坦共和国政府和乌兹别克斯坦共和国政府签订《关于在现代条件下过境水资源的利用协议》。

虽然签署了地区和双边性质的国际协定，但是在这个方面仍然存在着需要特别关注的尖锐矛盾。它们反映了所形成的国际法律基础的缺陷和在中亚国家民族优先权上的重大差别。

吉尔吉斯斯坦和塔吉克斯坦说出了自己的意见，现在，在拯救咸海问题的地区合作上，地区内其他国家常常在国家经济利益上占优势，在长期用水预报方面存在着视角差别，因而不完全相等地考虑人口增长的动态和这个客观因素决定的饮用水、农业、工业和其他需要的用水量的增加。

现行的分水系统是在苏联时期在统一经济关系系统范围形成的，那时为了发展灌溉农业，水资源对称分配对下游国家的区域有利。为了向下游供水，上游国家的区域被用于建设调节径流的建筑物。而灌溉面积的开发是最少的，但是，与此同时，上游国家获得了能源和工农业产品的补偿。在主权国家形成之后，中亚以前实行的分水原则仍然有效，但是上游国家却得不到应有的补偿或补偿不足。

根据吉尔吉斯斯坦和塔吉克斯坦的意见，地区内现有的分水系统是不公正的，而且给上游国家带来了重大损失，第一，不能发展灌溉农业以满足粮食需求；第二，不能在最佳工况下利用梯级水电站发电以满足冬季用电需要。

在最有争议的问题中，是承认每一个国家对其境内的水利设施及其所存蓄的水资源的所有权问题。

这些不同意见最明显地表现在 2001 年 6 月所通过的法律《吉尔吉斯斯坦共和国水设施、水资源和水利建筑物的国际利用》中，该法律引起地区内其他国家的不同反应。该法律宣告了国家的对外政策。根据这项政策，吉尔吉斯斯坦打算按照有偿用水的原则与其他国家建立自己的水关系。

在跨境水利工程(特别是输水渠道)的管理上也存在大量的问题和矛盾，主要表现为各国都只想着使用，不愿意管理和掏钱维修。例如，哈萨克斯坦南部的萨雷阿加什地区和卡兹古尔特地区的农业直接依赖于扎赫、哈内姆、大克列斯等国家间跨界水渠的正常运作。这些水渠的总长为298.6 km，其中92.2 km在乌兹别克斯坦境内。现在，这些水渠早已处于随时发生事故的状况。

乌兹别克斯坦、哈萨克斯坦境内的渠道因长年使用及受自然气候因素的影响，很多渠段的河坝随时有可能决口。通过渠坝渗透的水已使不少住宅和建筑物坍塌，人员伤亡、财产损失等情况也经常发生。损坏的渠段阻碍着渠道额定水量的通过。

在目前情况下，哈萨克斯坦、乌兹别克斯坦两国之间的紧张关系是因为双方没有采取一定的预防渠道发生危险事故的措施、没有保障国家间共用水利设施的正常运转等问题而加剧。要修复哈国境内的水渠需要大量资金，初期修复工程最少也要投入数百万美元。由于缺少资金，乌、哈、土三国出资维修跨境渠道的计划目前无法落实，而乌兹别克斯坦现在已决定减少其境内跨境渠道的供水量。

地区内各国之间历史形成的各种问题和矛盾是实实在在的，十分客观的。在寻求妥协解决方案时应当考虑所有中亚国家的利益。为了达成互利互惠的协议，通过谈判调解争议问题是这方面惟一可能的方式。总的来说，出现了必须思考新的形势和研制新的水资源管理原则的一致意见。在国际法律性质的措施中，建议分以下几项：

(1)调和地区和国家的法律标准；

(2)研制具有国际意义的水资源、水设施和水利建筑物的利用、保护的标准和程序，包括明确从水源中可以抽取但不伤害自然的水量；

(3)研制解决用水争议的程序，包括仲裁；

(4)保证对遵守每一个国家所承担的义务的相互检查；

(5)制定统一的承担损失责任、确定损失价值和赔偿损失程序的方式；

(6)制定实现共同水利项目的程序；

(7)制定信息交换、水利设施和水利系统的事故、水灾和其他技术成因的灾难、自然灾害的有效相互通报的程序和条件；

(8)在实现水保护措施中制定实施"污染者交费"原则的法律机制；

(9)制定一个国家所实施的工程和径流调节、防洪和护岸措施、供水服务等有利于地区内其他国家的法律、经济和组织机构；

(10)区别国家和地区机构的功能和权限。

现在，中亚各国正在协商研制的政府间协定有以下几项：

(1)"关于加强咸海流域过境水资源管理、保护和开发的组织机构"；

(2)"关于咸海流域水资源综合利用和保护的国家、流域和地区资料库的建立和功能"；

(3)"关于水资源管理的生态方式"；

(4)"关于锡尔河流域过境水流共同利用的基本原则"；

(5)"关于成立水—能源财团"；

(6)"关于跨国水利协调委员会执行机构的经费供给条例"等。

参加制定上述协定的各国代表在一系列原则问题上分歧较大，一时难以协调一致。这不仅说明各国客观利益有差别，而且还说明各方所提供的协议草案仅具有框架性质，没有涉及到一系列紧迫的需要国际合作的实质性问题。

第七章　咸海流域中、长期用水的评估

进入新世纪后，中亚各国对未来的社会经济发展作出了战略规划。由于咸海流域水资源长期短缺的现状，因此在作战略规划时各国对用水保障非常关切，纷纷作出了本国未来用水的评估。同时一些国际组织，包括联合国经济及社会理事会、联合国教科文组织和有关水问题的国际机构也纷纷参与了咸海流域的用水评估。下面根据所收集到的资料，向读者介绍联合国经济及社会理事会、跨国水利协调委员会所作的咸海流域未来用水量的评估，最后重点介绍联合国教科文组织所作的"咸海流域长期水构想"。

7.1　未来用水的评估

在联合国经济及社会理事会制定的中亚经济体特别方案范围内，提出了研究中亚各国未来用水的预报[15]，该预报分三个时段：

短期(到 2005 年)，经济稳定期。所有各国财政和经济状况接近一定的稳定水平。应该优先采取一些不需要大量投入但是能对未来发展形成稳定基础的措施。

中期(到 2010 年)，经济开始增长期。假定在这个期限内，咸海流域内各国经济形势向好的方向转变，并且经济水平将达到 1990 年的各项指标。对于这个期限，应该具有恢复咸海流域水利的稳定的财政潜力的成就。

长期(到 2025 年)，经济稳定增长期。长期措施的评估只是定向性的，而且它应该是以水资源最有效利用和根据互利的原则寻求地区内国家的最佳合作机制为依据。

在表 7-1 中列出了上述三个时间段内咸海流域各国和各经济部门的用水指标。

未来的用水需求是根据每一个国家的经济发展大纲评估的。因此，采用咸海流域大纲方案中所完成的评估以及应用在联合国开发计划署

表 7-1　咸海流域预期的用水需求　　　（单位：亿 m³/a）

国家	年份	经济部门						合计
		饮用水	农村饮用水	工业供水	渔业经济	灌溉农业用水	其他	
哈萨克斯坦	2005	0.8	0.7	0.75	0.65	95.0	2.1	100.0
	2010	1.4	1.0	1.2	1.5	95.0	5.0	105.1
	2025	1.6	1.2	2.9	1.7	74.5	5.0	86.9
吉尔吉斯斯坦	2005	0.8	0.9	1.5	0.3	55.4	0.1	59.0
	2010	1.0	1.1	2.0	0.4	60.2	0.3	65.0
	2025	1.4	1.5	3.0	0.6	68	0.6	75.0
塔吉克斯坦	2005	5.0	7.5	6.5	1.0	119.0	4.0	143.0
	2010	7.0	9.0	8.0	1.5	131.5	1.0	160.0
	2025	10.0	11.0	10.0	2.0	145.0	2.0	180.0
土库曼斯坦	2005	3.7	1.9	7.5	0.25	180.0	0.0	193.35
	2010	4.0	2.0	9.0	0.3	200.0	0.0	215.3
	2025	4.7	2.5	11.0	0.4	176.1	0.0	195.1
乌兹别克斯坦	2005	26.5	13.9	13.5	10.5	565.6	0.0	630.0
	2010	27.0	14.0	13.9	13.2	524.0	0.0	592.1
	2025	58.5	16.3	14.6	22.4	480.2	0.0	592.0
咸海流域合计	2005	36.8	24.9	29.75	12.7	1 015.0	6.2	1 125.35
	2010	40.4	27.1	34.1	16.9	1 010.7	6.3	1 137.5
	2025	76.2	32.5	41.5	27.0	944.2	7.6	1 129.0

政策选择和规划特设专家小组制定的模型的计算结果作为基础。

　　从表 7-1 中所提供的资料可以看出，位于流域下游的三个国家(哈萨克斯坦、土库曼斯坦、乌兹别克斯坦)未来用水量的稳定主要是靠实施节水措施。其他国家(吉尔吉斯斯坦和塔吉克斯坦)未来计划增加用水量，因此引用 1994 年中亚国家首脑的决议，提出启动重新审查中亚各国之间分水原则和机制的谈判过程。

　　跨国水利协调委员会信息中心根据在联合国开发计划署的方案制订的模型并考虑到流域内经济形势发展的最佳方案(人口保持低速增

长、加快国民生产总值的增长和用水效率达到潜在最大的 80% 的水平），提出了自己的咸海流域未来的用水方案。跨国水利协调委员会信息中心的预报资料列入表 7-2。

表 7-2 咸海流域预期的用水需求评估方案 （单位：亿 m³/a）

国家	年份	中亚经济体特别方案用水需求		跨国水利协调委员会的用水需求	
		取水量总和	其中灌溉农业用水量	取水量总和	其中灌溉农业用水量
哈萨克斯坦	2005	100.0	95.0	60.9	55.0
	2010	105.1	95.0	95.1	85.0
	2025	86.9	74.5	102.9	84.5
吉尔吉斯斯坦	2005	59.0	55.4	37.15	35.0
	2010	65.0	60.2	47.45	45.0
	2025	75.0	68	66.4	62.0
塔吉克斯坦	2005	143.0	119.0	128.3	108.0
	2010	160.0	131.5	125.5	103.8
	2025	180.0	145.0	138.9	115.0
土库曼斯坦	2005	193.35	180.0	193.35	180.0
	2010	215.3	200.0	215.3	200.0
	2025	195.2	176.5	195.1	176.5
乌兹别克斯坦	2005	630.0	565.6	630.0	565.6
	2010	592.0	524.0	592.0	524.0
	2025	592.0	480.2	592.0	480.2
咸海流域合计	2005	1 125.35	1 015.0	1 059.7	953.6
	2010	1 137.5	1 010.7	1 075.35	957.8
	2025	1 129.0	944.2	1 095.3	918.2

应该指出，中亚各国的用水量发展预报是根据所提供的人口统计动态、保证国家粮食安全的农业和其他产品的生产以及在世界标准的水平上满足居民用水需要编制的。这个预报暂时还没有被每一个流域水与水资源综合利用的详细研制的方案所证实。因为，在总体经济形

势不稳定的条件下，具体的大型水利项目的真实财政拨款前景尚不明朗。国家经济发展乐观、中等和悲观状况对用水需求的定量评估相差15%～20%。此外，国家预报没有考虑在地区的劳动分工和生产合作方面所奠定的潜在备用水量，因为这些问题的政治决议在国家首脑级别上还没有通过。以上所提出的预报的可靠性还需要确认，并且，考虑到地区内气候条件的变化，有可能造成水资源枯竭。

7.2　咸海流域长期水构想

1997 年 10 月[93]，在联合国教科文组织的大会上，中亚五国的政府代表向秘书处提出了讨论解决咸海危机的可能方式，要求秘书处提供咨询。同年 11 月成立了"咸海流域问题科学咨询委员会"。1998 年 9 月该委员会制定了长期水构想的计划。11 月联合国教科文组织总干事在执委会会议上倡议制定咸海流域长期水构想的设计。此后，1999 年 2～3 月相关国家组建了制定地区构想的本国工作组，且工作组开始研制构想的草案，4 月工作组的领导讨论了构想文件的草案，此后经过多次讨论和修改，11 月在联合国教科文组织与拯救咸海国际基金会共同组织的"中亚的水与和平"讨论会上，向中亚五国分管水资源的部长们提交了水构想文件，2000 年 3 月在第二届世界水论坛会议上正式提出了"咸海流域长期水构想"文件。

咸海流域长期水构想分为 10 个部分：①绪言；②构想简介；③理论依据；④必须考虑的主要变量的确定；⑤现状的概述与问题；⑥可能性和限制条件；⑦未来可能方案的说明；⑧未来可能方案的可实现性评价；⑨到 2025 年的构想；⑩实现未来构想所必需的措施和行动的讨论。

应该指出的是，联合国教科文组织制定的咸海流域长期水构想这份文件，列出了咸海流域因水资源短缺而存在的问题，然后拟定出到2025 年的奋斗目标。从假设的目标出发，考虑到人口增长和改善生态环境等因素，推算出为了达到奋斗目标所需要的用水量、为减少用水量而要采取的措施和行动。

7.2.1　基本状况的说明[76]

7.2.1.1　饮用水供应

对于整个地区，99%的城市居民能用上自来水就完全达到了目标。

1990年，该指标已经超过90%。从20世纪80年代末开始，国家用于维护自来水管网的钱越来越少，因此管网状况恶化。由于污染了的地下水的渗透，地下输水管的状态也恶化了水质。这样，必须保证自来水管网的维修和改造。

该地区实际用水量的计算标准是城市每人每天为450 L，农村为180 L。如果考虑到工业、服务业和生态各个方面的需求，标准很高甚至是高得过分。对于计算采用以下仍然很高的标准：城市每人每天250 L，农村每人每天100 L。

现在，中亚五国的人口总数估算为5 000万~5 500万，与最近9年的迁移数据有关。咸海流域的人口数量为4 000万。预计到2025年人口总数在6 000万~7 000万之间变化。相应的所必需的饮用水供应量在41.7亿~48.5亿 m³之间变化（见表7-3）。

表7-3　饮用水供应量　　　　　　　（单位：亿 m³）

人　口	农　村	城　市	合　计
5 000 万	7.3	27.4	34.7
6 000 万	8.8	32.9	41.7
7 000 万	10.2	38.3	48.5

与农业用水量和现有的水资源总量相比，这个用水量可以认为是不大的。此外，大部分水在用过之后可以再净化，并重新排入河流，以便再用于灌溉或生态需要。因此，饮用水供水不一定是不可回收的用水量。

这样，在评估未来生产饮用水的原水不是最重要的因素，或者不是限制保证高质量的饮用水供水的条件。但是，公共服务业所取得的自然水资源的质量具有重要意义，因为在地表水和地下水污染增加的情况下，净化造价就增加了。投资和进行运行和维护的资金是限制因素。

7.2.1.2　粮食保障、农业基础设施的发展和供应

这方面的问题在于2025年后水能不能够保证咸海流域全体居民的食品供应？

为了保证居民的粮食供应，可能采取不同的战略。实际上所有政府（和社会）一般都倾向于本国内能生产更多的粮食。其原因是希望能自给自足或具有粮食独立性，也经常考虑经济因素，且政府一般都善待移居到本地的农村居民。

问题在于到什么时候地区内水资源能满足生产粮食的需要？已经假定，工业和公共事业的用水量将小到可以忽略不计，对于第一种评估还可以假定，将有排水进入咸海，这样，考虑到部分已用过的水资源将重新进入系统，并再次利用。对于灌溉来说，可以满足800亿 m^3 的用水量。

根据联合国粮农组织（FAO）的资料，现在每公顷的产量和用水量见表7-4。

表7-4　现在每公顷的产量(FAO 资料)　　（单位：t/hm²）

国家	年份	小麦	水稻	棉花
哈萨克斯坦	1993	1.50	4.30	1.81
吉尔吉斯斯坦	1993	2.20		
塔吉克斯坦	1994	0.85	1.71	1.91
土库曼斯坦	1994	2.00	2.38	2.30
乌兹别克斯坦	1993	2.51	2.06	2.96

根据跨国水利协调委员会信息中心的长期预报，每公顷的产量和用水量见表7-5和表7-6及表7-7。

表7-5　将来每公顷的产量　　（单位：t/hm²）

组织与国家	时间	小麦	大米	棉花
跨国水利协调委员会信息中心	将来	4.3	6	3.3
塔吉克斯坦	将来	3.5	4	4
土库曼斯坦	将来	5	4.5	4
乌兹别克斯坦	将来	5	5	4

表 7-6　将来每公顷的用水量　　　　　　　　（单位：m^3/hm^2）

组织与国家	时间	小麦	大米	棉花
跨国水利协调委员会信息中心	将来	4 000	20 000	6 000
塔吉克斯坦	将来	3 000	24 000	8 000
土库曼斯坦	将来	3 000	23 000	6 400
乌兹别克斯坦	将来	3 100	25 000	6 500

表 7-7　将来每吨产品的用水量　　　　　　　　（单位：m^3/t）

组织与国家	时间	小麦	大米	棉花
跨国水利协调委员会信息中心	将来	930	3 340	1 800
哈萨克斯坦	将来		7 000	3 200
塔吉克斯坦	将来	600	6 000	2 300
土库曼斯坦	将来	600	5 000	1 800
乌兹别克斯坦	将来	620	5 000	1 630

　　如果在每公顷小麦每年的用水量为 4 000 m^3 的情况下，小麦产量达到跨国水利协调委员会信息中心预报的 4.3 t 是可能的，那么，到那时只要播种小麦，对于 7 100 万人口，仅需要约 210 亿 m^3 的水（见表 7-8），这个数目是完全可以接受的。

表 7-8　小麦—卡路里与水的关系

每人每年卡路里需要量		1 100 000 卡路里	
每吨小麦的卡路里量		3 440 000 卡路里	
生产每吨小麦所需要的水量		930 m^3	
人口（万人）	卡路里需要量（亿卡路里/a）	小麦需要量（万 t）	水需要量（亿 m^3/a）
5 000	54.75	1 592	148
6 000	65.70	1 910	177.6
7 000	76.65	2 228	207.2

在仅用大米来保证居民的粮食需要的情况下，我们再来用跨国水利协调委员会信息中心预报的产量，需要 710 亿 m³ 的水（见表 7-9），这与现有的最大水资源量相比是太多了。

表 7-9 大米—卡路里与水的关系

每人每年卡路里需要量		1 100 000 卡路里	
每吨大米的卡路里量		3 600 000 卡路里	
生产每吨大米所需要的水量		3 340 m³	
人口（万人）	卡路里需要量（亿卡路里/a）	大米需要量（万 t）	水需要量（亿 m³/a）
5 000	54.75	1 521	508.0
6 000	65.70	1 825	609.6
7 000	76.65	2 129	711.1

7.2.1.3 棉花生产

为了提高农村居民的福利待遇和增加货币收入，棉花的生产量可能仍然很大。如果到 2025 年，棉花生产为 150 万 t，且用水量为 1 800 m³/t，根据跨国水利协调委员会信息中心的评估，对于棉花生产，需要约 30 亿 m³ 的水。

如果棉花播种面积仍然保持在 1994 年的水平——260 万 hm²，用水量等于 6 000 m³/hm²，每吨棉花用水量为 1 800 m³，则 159 亿 m³ 的水可以收获 880 万 t 棉花。

由这些数字可以清楚地看出，将来，无论种植什么，如果不限制用水量，水就不够用。例如，若靠种植水稻来保证卡路里的需要和棉花生产增长 6 倍，即使在最高产量下也是不可能的。

7.2.1.4 环境和生活条件

与水资源有关的生态问题是咸海的干涸、地表水和地下水水质的恶化、水沼泽地面积和河流生态系统的减少以及土壤的盐碱化。

a)咸海

解决咸海干枯问题现有三个基本方案:恢复咸海到 50 年前的水位;保持现有的水位;继续让咸海干枯到更低的水位后自行稳定。

(1)恢复水位。在咸海现有的水存量下，在最近几十年内每年需要约 500 亿 m^3 的水进入咸海，以达到海拔 50 m 的高程。入海水量的增加可缩短达到这个水位的时间。

有 4 个基本方案保证必要数量的水进入咸海：恢复锡尔河和阿姆河的径流量；从里海向咸海调水；将汇入北冰洋的河流的水输送到咸海；将上述方案结合起来(这 4 个方案在第五章中均已述及，这里不再重复)。

(2)保持咸海现有的水位。每年必须保证约 230 亿 m^3 的水进入咸海，以便保持咸海现有的水位不再下降，且结合其他措施，以便部分地恢复它的三角洲。为了保证这么大的水量，节水需要很大的努力和政策支配力，这在经过一定的时间后是完全可能的。

(3)咸海的进一步干涸。如果进入咸海的水保持在现在的水平——每年 50 亿 ~ 100 亿 m^3，则南部大咸海将继续干涸，其水位一直下降到海面的蒸发量等于入流量时为止。海面进一步缩减对当地气候的影响后果很难预料。

b)河水、湖水和地下水的水质

为了保证健康的水生态情况，在 10 ~ 20 年内实现改善地表水水质的措施是完全可能的。到那时用天然水资源生产饮用水不会很贵。

所有新兴的工业部门，包括采矿工业，都应当承担生产过程废物处理的技术和财政责任。根据相应政府部门的倡议，老的废物堆应该清除。

可能出现危险的废物被洪水中流动的泥沙埋葬，这种事必须特别小心，而从事供水的大公司应该拥有相应的检验权。

c)水沼泽地的保护和恢复

水沼泽地的恢复必须要有水源，但是，它们可以由具有一定矿化度的水形成。因此，水沼泽地的用水不一定会与其他用水项目形成竞争。水沼泽地还能实现一定的净化水的功能。

d)土壤的盐碱化

咸海流域最急迫的生态问题，特别是从稳定性来看，是不断增加的灌溉土地盐碱化问题。必须解决这个问题，它可以而且也能够与提高灌溉土地产量一起来实现。

在改善灌溉土地状况的初始阶段，可能需要大量的水。因此，这些措施必须尽快实现。

7.2.1.5 电力、工业和采矿部门

1990 年，整个流域的电力、工业和采矿部门用水量估计为 60 亿 m^3，而且工业用水的主要部分是在北哈萨克斯坦，在该流域之外。从用水量来看，工业不是有效的和经济的。预计要到 2007～2015 年工业生产才能达到 1990 年的水平。但是，工业的恢复无疑具有优良的结构和用水效益。

根据跨国水利协调委员会信息中心的估计，工业的用水量，包括农业工业和电力，大概过 30 年后才能达到 45 亿 m^3/a。对于工业的未来发展来说，即使跨国水利协调委员会信息中心的估计是悲观的，但如果我们假定到 2025 年工业化比 1990 年增加 1 倍，工业的用水量仍然不超过 60 亿 m^3/a。因此，工业的用水量是比较小的，在许多情况下都是次要的。这样，水资源不是咸海流域工业发展的限制因素。

7.2.2 未来可能方案的描述[76]

7.2.2.1 未来"不变"方案

首先假设，经济、主要基础设施、预算科目以及人际关系仍然保持原状。仅稍稍作点改善，然而这还是不成功的。例如，不在农业、水文和生态研究等领域投资，对于农业方面(特别是在降低土壤矿化度方面)的投资资金很少或者根本没有，即使有来自出售石油和天然气和其他自然资源的资金，但这些资金不是首先用于城市以外的基础设施的发展。当然，在一些地方，农业产量会稍有增加，但是，就整个地区而言，这将伴随着其他问题的复杂化。

先来研究未来的食品生产情况，假定：在该地区，到 2025 年人口为 5 000 万，用于生产小麦、大米和棉花的水资源为 600 亿 m^3，而且人所需的卡路里按 90%来自小麦、10%来自大米计，其结果见表 7-10。

根据居民的其他指标和小麦在口粮中的重要性得出表 7-11、表 7-12 中的数据。在表 7-11 中棉花的生产随着人口的增长而增长，而在表 7-12 中棉花的生产停留在 1996 年的水平。

表 7-10　未来不变的方案

项目分类	现状资料	计算结果
居民总人口（万人）	5 000	
来自小麦的卡路里	90%	
小麦的产量（t/hm²）	2.0	大米的产量（t/hm²）　3.0
棉花的产量（t/hm²）	2.5	
小麦的用水量（m³/hm²）	5 000	小麦的用水量（m³/t）　2 500
大米的用水量（m³/hm²）	28 000	大米的用水量（m³/t）　9 300
棉花的用水量（m³/hm²）	10 000	棉花的用水量（m³/t）　4 000
每人每年卡路里的需要量（万大卡）	109.5	1996 年棉花的产量（万 t）　270
来自小麦的卡路里（万大卡）	98.6	
来自大米的卡路里（万大卡）	11.0	生产谷物的现有水资源量（亿 m³）600
小麦必须量（t）	0.315	谷物收割后的损失，%　10
大米必须量（t）	0.033	小麦的营养价值，大卡/t　3.44
小麦需要的水量（m³）	788	大米的营养价值，大卡/t　3.66
大米需要的水量（m³）	306	
保证卡路里需要的水量（m³）	1 094	每人每天所需要的卡路里　3 000
保证居民粮食供应所需要的用水量（亿 m³）	550	
保证棉花生产所需要的用水量（亿 m³）	140	
合计	690	
余量	−90	

注：1 大卡=4 186 焦耳。

表 7-11　在棉花生产随着人口的增长而增长的情况下水资源的剩余量

（单位：亿 m^3/a）

人口数量 （万人）	来自小麦的卡路里占的比例(%)				
	60	70	80	90	100
4 000				50	140
5 000					30
6 000					
7 000					
8 000					
9 000					
10 000					

表 7-12　如果棉花生产停留在现代水平水资源的剩余量　（单位：亿 m^3/a）

人口数量 （万人）	来自小麦的卡路里占的比例(%)				
	60	70	80	90	100
4 000				50	140
5 000					50
6 000					
7 000					
8 000					
9 000					
10 000					

可以看出，在该流域，如果情况不变，水资源未必能保证人口的粮食供应。如果棉花生产开始随着人口的增加而增长，而水稻的生产完全停止，将很难养活 5 000 人口。当人口增加到 6 000 万时，必须停止种水稻，而棉花种植也不能保持在现在的水平。

关于供水和卫生问题，在不变方案中，情况也没有改善。在投资、科研和教育方面没有相当大的力度，不可能改善供水和卫生领域的情况。在运行和管理水平上也存在相当大的差距。

在这种"本色的"方案中，工业不会有相当大的增长，这样，工业污染的危险性也不会增加。如果不调整好供水，就不能指望污水净化达到应有的水平。从而，水的生物质量将更加恶化。

进入咸海的水将越来越少，因为在粮食生产用水后水将越来越少，在水进入咸海之前，利用所有水资源的诱惑力是很大的。显然，"不变"方案是完全没有吸引力的。

7.2.2.2　未来优先发展农业和基础设施的方案

假定：在该地区，未来将有足够的财政资金，例如，靠石油、天然气和有用矿物的出口，且有可能提供给大部分人口是在从事农业和为其服务的行业以及工业的社会。

形成这种社会的水够不够呢？或者换句话说，水是不是限制因素呢？

因为在这种情况下，农业发展获得了优先权，政府将在农业、灌溉、排水、土壤、水文学和水文地质学、水利和社会科学方面的应用研究给予财政支持。将对改善排水工程和减少水在输送和分配以及田间损失方面进行投资。在强有力的转变下，将逐渐形成相应的奖励机制，以及采取组织措施，保证个人和社会利益相一致。

如果所有这些措施成为现实，则在其实施过程中将提高单位产量，降低单位用水量，从而提高每立方米水的产出率。一般来说，在这种方案下，生产率的增长将是最大的。

可以预料，不仅棉花是出口标的，而且药用植物和其他像花卉和水果等园林作物也用于出口。此外所获得的知识和专利本身也是出口标的。这样，生产率的增长将是最大的。

计算同"不变方案"一样，以小麦、大米和棉花为标的(见表7-13、表7-14、表7-15)。

采用同样的计算方法，利用跨国水利协调委员会信息中心的资料，得出以下情况的结果(见表7-13)：当棉花生产随着人口的增长而增长，而粮食需求(以卡路里计)80%是小麦、20%是大米。表7-14为棉花生产随着人口的增长而增长的水资源的剩余量，表7-15为棉花生产停留在现代水平水资源的剩余量。

表 7-13　优先发展水土资源的方案

项目分类	引用资料	计算结果	
居民总人口（万人）	7 000		
来自小麦的卡路里	80%		
小麦产量（t/hm²）	4.3		
大米产量（t/hm²）	6.00		
棉花产量（t/hm²）	3.30		
小麦用水量（m³/hm²）	4 000	小麦用水量（m³/t）	930
大米用水量（m³/hm²）	20 000	大米用水量（m³/t）	3 333
棉花用水量（m³/hm²）	6 000	棉花用水量（m³/t）	1 818
每人每年卡路里的需要量（万大卡）	109.5	1996 年棉花产量（万 t）	270
来自小麦的卡路里（万大卡）	87.6	谷物收割后的损失，%	10
来自大米的卡路里（万大卡）	21.9	生产谷物的现有水资源量（亿 m³）	600
小麦必须量（t）	0.280	小麦的营养价值，大卡/t	3.44
大米必须量（t）	0.067	大米的营养价值，大卡/t	3.66
小麦需要的水量（m³）	261		
大米需要的水量（m³）	223		
保证卡路里需要的水量（m³）	484	每人每天所需要的卡路里	3 000
保证居民粮食供应所需要的用水量（亿 m³）	340		
随着人口的增长，保证棉花生产所需要的用水量（亿 m³）	90		
合计	430		
余量	170		

表 7-14　在棉花生产随着人口的增长而增长的情况下水资源的剩余量

（单位：亿 m³/a）

人口数量（万人）	来自小麦的卡路里占的比例（%）					
	50	60	70	80	90	100
4 000	260	290	330	360	390	420
5 000	180	220	260	300	340	380
6 000	90	140	190	240	280	330
7 000	10	70	120	180	230	290
8 000		50		110	180	240
9 000			50		130	200
10 000				70		150

表 7-15　如果棉花生产停留在现代水平水资源的剩余量 （单位：亿 m³/a）

人口数量	来自小麦的卡路里占的比例(%)					
（万人）	50	60	70	80	90	100
4 000	260	290	330	360	390	420
5 000	190	230	270	310	350	390
6 000	120	170	210	260	310	360
7 000	50	100	160	210	270	320
8 000		40	100	160	230	290
9 000			40	120	190	260
10 000				70	150	230

可以看出，在这种方案下，水资源的进一步发展还有很大可能，且不需要进口粮食。

与按照"不变方案"所得的指标相比较表明，至少在中期发展前景，努力提高生产率比试图限制人口的增长更重要。换句话说，仅仅限制人口的增长不是有效的政策。

7.2.2.3　未来发展工业和服务行业的方案

在描述未来优先发展农业和农村基础设施的可能方案时，如果实现必要的财政投资并加强提高单位用水收获量的努力，在未来 20～30 年是不会缺水的。

仅发展农业及辅助行业的社会发展方案有可能不是在所有指标上都吸引人。也有可能发生运用自然资源、出口能源和矿物资源还不能挣得满足农业巨大投资的资金量(尤其是在这个过程的开始阶段)的情况。在这种情况下，必须执行工业化或二次工业化的政策。

尽管工业的大部分投资来自国内外的个人，但是政府仍然必须投资各种基础设施、科学和教育方面，使得国家看上去是在吸引工业投资家、工程师和技术专家。

在这个过程的最初阶段，工业不能带来很大的利润，此时农业的投资是最小的。随后，情况可能改变，因为居民开始更富裕了。假定在这种情况下，提高农业产量将得到一些支持。

如上所述，工业用水不是解决该地区有没有足够水资源问题的决定性因素。这是因为工业对水的需求相当低，而且工业完全可以采用用水量较少的生产工艺，以及进行水的净化和再利用。

这样，农业产量的提高不如"优先发展农业"方案那么大，特别是在初始阶段，但是最迟到 2020 年，农业产量将达到更快的速度。可以预见到，60% 的指标达到跨国水利协调委员会信息中心预报的到 2025 年"最佳"生产率指标是可能的。

这样，在人口等于 7 000 万时将来会出现以下的情景（见表 7-16）。

表 7-16   中度发展水土资源的方案

2025 年生产率中度提高	引用资料	计算结果	
居民总人口（万人）	7 000		
来自小麦的卡路里	90%		
小麦产量（t/hm²）	3.4		
大米的产量（t/hm²）	4.50		
棉花的产量（t/hm²）	3.10		
小麦的用水量（m³/hm²）	4 500	小麦的用水量（m³/t）	1 324
大米的用水量（m³/hm²）	24 000	大米的用水量（m³/t）	5 333
棉花的用水量（m³/hm²）	8 000	棉花的用水量（m³/t）	2 581
每人每年卡路里的需要量（万大卡）	109.5	1996 年棉花的产量（万 t）	270
来自小麦的卡路里（万大卡）	98.6	谷物收割后的损失	10%
来自大米的卡路里（万大卡）	11.0	生产谷物的现有水资源量（亿 m³）	600
小麦必须量（t）	0.315		
大米必须量（t）	0.033	小麦的营养价值，大卡/t	3.44
小麦需要的水量（m³）	417	大米的营养价值，大卡/t	3.66
大米需要的水量（m³）	178		
保证卡路里需要的水量（m³）	596	每人每天所需要的卡路里	3 000
保证居民粮食供应所需要的用水量（亿 m³）	420		
随着人口的增长，保证棉花生产所需要的用水量（亿 m³）	120		
合计	540		
余量	60		

总之，在这种情况下，剩余水量仅为 60 亿 m³，这是不多的。在其他情况下推荐以下指标（见表 7-17 和表 7-18）：

表 7-17　在棉花生产随着人口的增长而增长的情况下水资源的剩余量

(单位：亿 m³/a)

人口数量（万人）	来自小麦的卡路里占的比例(%)					
	50	60	70	80	90	100
4 000	80	130	190	240	290	340
5 000		20	80	150	220	280
6 000				60	140	220
7 000					60	150
8 000						90
9 000						30
10 000						

另一方面，由于出口的增加，如果该地区的居民变得更富裕，大米的进口是完全正常的。在这样的条件下，可以保证 7 000 万人口的粮食供应。

如果按照这种方式思考，则工业化不是阻碍粮食生产的因素。如果工业化不能带来预期的富裕增加，或者在全球的经济危机情况下，粮食需求仍然可以保证(但是在质量比较低的水平上)。在任何情况下，都必须要提高单位收获量的现有指标。

关于饮用水的供水问题，强大的工业是积极因素，因为所有必要的设备可以就地生产，所以，这种设备应该更适合于当地条件。在工业文化的范围内，技术检验也更是多种多样的，且质量更好。

表 7-18　棉花生产停留在现代水平水资源的剩余量　(单位：亿 m³/a)

人口数量（万人）	来自小麦的卡路里占的比例(%)					
	50	60	70	80	90	100
4 000	80	130	190	240	290	340
5 000		30	100	170	230	300
6 000			10	90	170	250
7 000				20	110	210
8 000					50	160
9 000						110
10 000						70

在不同的上述方案下，除了使居民不断富裕将有更多的资金来改善生态环境和居民生活条件这个事实之外，环境的状况和生活条件是不一样的。

7.2.3　未来的奋斗目标

联合国教科文组织根据其调查研究和计算结果，提出了到 2025 年咸海流域的奋斗目标(见表 7-19)[94]。

表 7-19　咸海流域社会经济、用水的现状和未来奋斗目标

分类指标	现状	未来目标
5 岁以下儿童死亡率(每 1 000 人)	45~109	<30
寿命	65~69	>70
平均每人每天摄入卡路里	2 200~2 800	>3 000
每吨小麦的平均用水量(m^3/t)	5 000	<3 200
每吨大米的平均用水量(m^3/t)	30 000	<14 000
每吨棉花的平均用水量(m^3/t)	12 000	<8 000
田地用水效果(%)	40	>75
田地配水效果(%)	70	>70
灌溉土地盐渍化的分量(中等和高度盐渍化)	45	<10
用于改善环境的水资源量(m^3/a)	100	>200
自来水管网所涵盖的面积占全体居民的百分比(城市)(%)	80~93	>99
自来水管网所涵盖的面积占全体居民的百分比(农村)(%)	26~75	>60
符合生物标准的优质饮用水保证率(城市)(%)	40~60	>80
符合生物标准的优质饮用水保证率(农村)(%)	20~40	>60
城市居民购买力提高倍数	1	>2.5
农村居民购买力提高倍数	1	>3.5

注：现状栏的数据有的是评估范围，有的是中亚各国的变动范围，有的是两者的结合。没有得到所有国家的一致认可，存在一些不同的相互矛盾的数据，但可作为制定未来目标的基础。

初看起来，表 7-19 所列的指标是很理智而且符合实际的，可以作为未来的奋斗目标。显然，这些指标不可能在一两天内且无须任何消耗就能达到。为了制定构想文件，必须确定哪些指标经过 25~30 年的努力可以真正达到。人口的增长和有限的资金是主要限制条件。而且，人口的增长在最近 25 年可以相当精确地预测,而水利基础设施的投资、运行和维护的现有货币资金是很难评估的。

现有财政资金主要取决于地区内各国的经济发展，以及政治决定，特别是经济增长分配到水利部门投资的份额。

到 2025 年咸海流域状况的定量构想是按照达到以下目标的方式来管理水：健康目标要求达到目标与水的供应有关系，粮食目标要求实现目标与改进灌溉效率有关系。表中所列的最终目标，关于收入是就水来说，如果有钱就能购买粮食，而不是用所有的水去灌溉农产品。

预计到 2025 年，中亚人口在 6 000 万 ~ 7 000 万之间，而咸海流域的人口在 5 000 万 ~ 6 000 万之间。

灌溉需水量是决定性的最大需水量。所有其他用水都是很容易满足的。到 2025 年，希望每立方米用水量对粮食和其他农产品产量的增加能够达到所有的粮食需求，都能在本流域生产和有足够的水来支付种植那么大面积的棉花的程度。

在未来 25 年，在农业产量增加的条件下没有水危机，水是清洁的，产量不能高标准地永远继续增加，而且从长远来看，要创造条件使家庭选择少生孩子。

在 2025 年，希望城市人均供水最少为每人每天 250L，而农村地区为 150L。对饮用水供应来说，相应的用水量在 40 亿 ~ 50 亿 m^3 之间。这个数量与农业需水量和用水总量相比是很少的。此外，大部分水在使用之后经过处理再引入河流，以便用于灌溉或环境需求，因而没有必要计入消费用量。所以，将来生产优质饮用水的原水量不是重要因素，但是，市政管理部门所取用原水的质量是非常重要的。因为，这将增加净化的成本和增加污染。

希望到 2025 年卫生状况能显著改善，儿童死亡率比现在有所改变，实际上所有的城市居民和大多数农村居民都将供给优质饮用水。

城市地区自来水管网连接面积占整个地区的 99%，能很容易并且能提前达到。通过检修城市地区的漏水管道，水质将得到改善。地表水和地下水的污染通过比较好的污水收集和处理将会减少，而且其净化用的化合物将是自己国家生产的。损坏的设备将被替换，水处理专家的缺乏也将受到重视。

2000 年农村地区的状况普遍认为是很差的，就是到 2025 年，也不是万事如意。一个理由是，生物处理不能把盐水变成淡水，不是所有的农村都像城市中心那样方便地取得饮用水，以及不是很多农村都能筹措到资金用于反渗透法来进行昂贵的溶解。

希望到 2025 年，中亚各国能种植足够的粮食，以保证每人每天能获得 3 000 卡路里的热量。衡量每吨农产品所需用水量(m^3/t)的产量要改进，使得咸海流域的灌溉面积能够养活该流域的所有人。这并不意味着该地区必须去种植所需要的粮食，而非常有可能种植棉花或其他经济作物，水稻被改掉或者种植水稻，生长在低温地区的小麦被改掉。

有多种战略或可能来保证有足够的粮食来养活人口。实际上，所有的政府更喜欢在自己的国家内生产尽可能多的粮食，其理由可能是自给自足和粮食独立的原因，但是，所有的理由都是经济因素所促成的。在许多理由中，政府支持农村人口的增长。未来没有足够的水来种植小麦来养活无限量的人口这一点是清楚的。例如，即使生产力变得非常强大，也不可能用大米和生产比现在多许多倍的棉花来满足卡路里的要求。

每立方米用水量的产量增加 2～3 倍是绝对需要的，另外，主要水危机得到控制。并且通过土壤改良，减少盐分，通过技术和经济措施，减少输水损失，有更佳的配水系统，农场能更经济地用水，更好地了解所包含的所有因素，特别是让农民采用更好的品种和更多地懂得科学和工程技术，从而使农产品产量增长。

到 2025 年，一般能满足 1998 年决定的每年最少减少咸海流域用水量 200 亿 m^3。在中水年，有水流进咸海及其三角洲。这已被证明对于恢复和保持三角洲的湿地是足够的，并且通过它的通道，证明河流在采取一些措施后是能够局部恢复河流的生态系统。

不要试图把咸海恢复到 1960 以前的状态。将来有可能把咸海分割成两部分，阿姆河和锡尔河各自河口的湿地也同样分开。咸海的剩余部分被用做咸水的弃水坑，有关政府要帮助以咸海资源谋生的人，给他们提供其他的生存计划。

地表水水质显著改善是由于城市污水处理和经济措施促进工业把污染减少到最低程度。在河流和湖泊中，水质变好实际上能恢复到原始生态状态。地下水的改善还不太满意，特别是与硝酸盐有关的指标。

湿地的恢复、发展和管理获得成功是与政府和国际团体的计划和实施以及支持分不开的。城市中的小河流在渠化之前现在已恢复成更自然的水道。对于城市和农村的公园和树林以及绿化带，一般可继续有水浇灌。

工业将再次成为该地区经济的重要部门。这种工业"再发展"变成在科学和技术基础上更新改造的发动机，并且在供水、环境卫生和灌溉上必然受到新技术应用的影响。

政府与企业家和工人团结一致，对工业限制耗水量和工业水污染展开积极的和消极的经济刺激。到2025年，咸海流域工业耗水将大大减少。

在详细地研究了阿姆河和锡尔河流域水电系统的管理之后，怎样达到最大的水电利益和最小的"耗"水这个目的，各国政府应实施已经制定了的协议。

到2025年，所有与社会、经济和环境有关的水信息和数据以及以其为依据的意见和决定可以通过印刷的形式以及通过因特网或其他电子通信的形式公布。这些信息和数据标明来源出处，经得起决定性的科学审查。

在2025年，大学和其他科学研究所将变成基础和专业知识(包括国外来的知识)的中心。与农业生产和水有关的科学和工程研究所将有非常特殊的任务和责任以及具有稳固而必要的资金。

预计到2025年，将有不同形式的水管理、不同国家的基础设施，所以，各国政府将非常有目的地调整社会经济目标。越来越多的协调任务要执行，尤其是在事先制定的合作协定基础上，而不是遵循固定不变的官僚主义的惯例。典型的机构包括感兴趣的党派将作出区域性的决定。

政府已经意识到人民彼此非常了解，包括越来越多的人在所有层面上的地区科学和技术合作将会稳固。同时在每一个国家，科学团体是相当小的，为了开发新的知识和工作方法，只有联合在一起才能实现其极大的需要。

7.2.4　建议措施[95]

7.2.4.1　主要战略研究

为了达到2025年儿童死亡率小于30/1 000的指标，在城市和农村地区饮用供水范围内应该完成主要战略研究。

为了在2025年达到以下用水指标：小麦——950 m^3/t，水稻——

3 400 m^3/t 和棉花——1 800 m^3/t 原产品,必须进行灌溉系统、土壤脱盐、改善土壤肥力、植物遗传学和实际经济实施的战略研究。

为了完成调整劳动资源与水资源的关系,在供水和卫生、农业和生态等领域发展教育和科学基础结构必须研制主要的民族发展战略,然后应该建立人口资源发展计划。

为了能够制定在最小水量"损失"下达到最大水力发电利润的协议,必须完成阿姆河和锡尔河流域范围内水力发电系统管理的主要战略研究。

7.2.4.2 信息管理

为了研制这样的战略,使得在该地区内外永远是在最佳的科学信息基础上作出工程规划、建设和管理的决定,在该地区必须组织现有的水土资源与所有权、实际控制权、获得权、交换权、水的价值、水价和水质检验等信息的广泛讨论。

必须在科学的基础上建立每一个国家居民健康状况的监测大纲。

7.2.4.3 短期内知识的改善

为了更新现在已经过时的信息,通过具体的研究,必须要作出水环境状况的临界评述。主要目的是获得流域水资源现代评价,包括将来可能变化的研究。

可以立即进行以下重要项目的研究:

(1)利用地区内现有的化学药剂研制饮用水的净化工艺;

(2)确定具体的净化、中和或清除采矿部门、农业、工业、公共事业和其他人为活动废物的方法,这些废物对天然水资源的质量可能有有害的影响;

(3)确定现在利用天然资源是可以利用的地表水资源(包括过境水资源)的污染等级;

(4)保健和水质与健康之间的相互关系的统计资料的临界分析,这是发出确定水质管理区优先资格的条件;

(5)为了选择改善居民健康状况的最佳方法,在农村地区通过首批社会学的研究,确定水利与保健领域的现状;

(6)在咸海流域的具体条件下确定饮用水的生产工艺;

(7)制定污染物数量标准化测量的工艺,测量结果可以用于进行国家和国际比较，以便签订和执行国际协议；

(8)考虑到当地的情况，研究饮用水供水系统流量控制的可能方法；

(9)在具体地区为了能将地下水用于饮用供水系统应确定地下水的特性；

(10)研究降低三角洲微气候变化不良后果的措施；

(11)研究古代的水土资源、灌溉系统和传统经营活动的管理方法；

(12)耐盐植物与强化养鱼业相结合确定排水及其多次利用的利用工艺；

(13)对于咸海流域不同的自然条件，确定每一种农作物的最佳用水情况；

(14)研究利用高盐渍化水域作为能源和生化产品的源泉；

(15)分析自然牧场、草原和半荒漠地带的需水量的资料；

(16)按照不同用水类型确定合格目标的水资源分类；

(17)灌溉系统的研究，水价形成的现代工艺和方案；

(18)研究并制定消除土壤盐渍的措施，恢复已耕种土地土壤的肥力；

(19)研制恢复三角洲的措施。

7.2.4.4 教育和训练

必须在土木工程领域内仔细地研究建筑和农业工程师以及中低级工程技术人员的教育和培训系统。必须研制每个国家的战略，以便经过10年的努力出现能够完成水构想任务的工程师。

工程师和大学生应该学习英语，通过大学和专业学会应该能传播外国文献。

必须研制和形成专业农场的培训，以便出现能够获得利润和在最佳收成条件下维持稳定的灌溉农业的农场主。

7.2.4.5 提供舆论资料

在学校和电视上必须说明居民健康状况与纯净水之间的相互关系，以及所用水资源生产、运输和净化的费用。

必须改变城市居民和现代领导者对农村地区的态度，即对土地耕种者和总体的对经营实践的态度。通过实现向舆论提供资料，在首都和农业区域的城市中心成立有关农业问题、生态问题和水土资源管理问题的科学和技术"展览馆"，这些措施是能够达到预期效果的。

在每一个中亚国家，国家机构应该制定具体的措施，向舆论提供国家公园、自然保护区和禁伐区等信息，而且要特别关注当地居民参与上述区域管理的兴趣。

7.2.4.6　地区合作

应该在政府的支持下成立或恢复地区专业协会。

联合国机构应该至少在近儿年有系统地支持地区科技合作的发展，在那些具有多国家性质的水利范围内，不仅要交换知识和信息，而且要形成或保持坚持对的反对错的共同思想。

政府应当特别关注电子通讯系统(因特网)，使得工程师和学者能够在虚拟的科技联合范围内一起工作，这样，成立地区机构的必要性是自然的，这种虚拟的联合就能具有咸海流域科学院的形式。

第八章 咸海流域与我国西北地区的比较

我国西北地区与中亚五国(中亚五国总面积 399.44 万 km²)同处于北半球中纬度干旱带和欧亚大陆腹地[96]，远离海洋，又有高山阻隔，夏季暖湿气流难以到达，冬季西伯利亚干冷气候影响强烈，其气候特征是降水稀少、蒸发强烈、夏季炎热、冬季严寒、风大沙多。二者区位条件相近，山水相连，气候相似，地形、环境等特征和其他外部条件类同，甚至连风土人情也很相仿。土库曼斯坦从里海、卡拉库姆沙漠经乌兹别克斯坦、哈萨克斯坦延伸到我国西北地区的侏罗纪煤系，在西段已被证实，在东段也有远景的天然气成矿区，均表明二者具有相通性。由于远离海岸、内陆纵深，我国西北地区与中亚五国均干旱缺水，物产量低，植被稀疏，荒漠化蔓延，内陆河流域广阔(在我国西北地区占全区土地面积 70%以上，在中亚五国所占比重更大)，陆地交通线长(第二亚欧大陆桥占全线里程 30%多的路段在我国西北地区，哈萨克斯坦境内的土西铁路也超过 1 000 km)。矿产资源均比较丰富。不同点在于，哈萨克斯坦、乌兹别克斯坦、土库曼斯坦三国西北部有大片平原、丘陵，哈萨克斯坦的耕地面积比我国西北五省(区)耕地面积之和高 1 倍还多，而我国西北人口比中亚五国多出 1 倍左右。中亚生态环境问题与中国西北地区有很大的相似性与相关度，相同的问题在双方程度不同地存在，有的问题在中国更严重。我们应该加强与中亚国家在水资源开发和生态环境领域内的合作，互相学习，取长补短，为我国的水利工程建设和社会经济的发展与进步做出贡献。

8.1 我国西北地区水资源开发利用现状

西北地区包括新疆、宁夏的全部，青海、甘肃两省的黄河流域和内陆河流域，陕西省的黄河流域部分，内蒙古的鄂尔多斯市、阿拉善盟和乌海市，是我国西部大开发的重要组成部分。

西北地区土地面积 339 万 km²(约占全国总面积的 35%)[97]，其中黄河流域为 57 万 km^2，占 18%；内陆河地区为 245.9 万 km^2，占 82%。西北地区总人口为 9 001.9 万，与土地面积的分布不同，黄河流域人口比重较大，有 5 373.5 万人，占 59.7%；内陆河地区有 2 442.8 万人，占 27.1%。城市化率 28.5%，略低于全国水平，黄河流域仅 24%，内陆河地区达 39%。西北地区耕地面积[98]为 1 300 万 hm^2，其中黄河流域有 766.6 万 hm^2，占 59%，内陆流域 533.3 万 hm^2，占 41%。实际灌溉面积达 608.8 万 hm^2，其中黄河流域有 199.9 万 hm^2，内陆河流域有 408.9 万 hm^2。

西北地区水系尚发育，可分为内陆水系和外流水系。内陆河主要分布在新疆、青海、甘肃和内蒙古西部，主要有内蒙古西部内陆河、河西内陆河、准噶尔内陆河、塔里木内陆河、中亚细亚内陆河（包括伊犁河等）和青海内陆河。额尔齐斯河为外流河，但一般统计在新疆内陆河的区域内。内流河主要依靠山区降水和冰雪融水补给，一般具有汇水面积小、流程短、河道比降大等特点。外流河主要包括长江和黄河的上游河段以及澜沧江的上游。西北地区水资源总量 2 025.8 亿 m^3，其中内陆河的水资源总量为 1 035 亿 m^3（见表 8-1）。

表 8-1　西北干旱区水资源量与利用现状[99]

地　区	地表径流量 (亿 m^3)	利用率 (%)	地下水补给量 (亿 m^3)	地表水与地下水重复量 (亿 m^3)	地下水利用率 (%)	水资源总量 (亿 m^3)	利用率 (%)
河西走廊	74.2	63.67	43.12	37.22	38.15	80.10	72.0
中亚内流区	203.0	35.0	61.2	56.8	2.3	207.4	34.9
准噶尔盆地	127.0	63.9	68.8	49.8	19.0	146.0	64.5
塔里木盆地	407.0	67.0	220.1	196.6	3.9	430.5	65.3
柴达木盆地	45.8	17.1	35.0	31.1	1.8	49.7	17.0
额尔齐斯河	119.0	14.8	20.0	17.7	0.7	121.3	14.6
合　计	976.0		448.22	398.22		1 035.0	

西北地区水资源开发利用同咸海流域一样，有着悠久的历史，早在秦汉年代已经修渠灌溉。截至新中国成立前夕，全区大小灌渠有 2 000 多条，灌溉面积约 200 万 hm^2，其中内陆地区约 133.3 万 hm^2，黄河流

域约 66.7 万 hm²。新中国成立以后，西北地区开展了大规模的水资源开发利用，共建成大中小型水库 2 328 座[100]，总库容 454.46 亿 m³，引水工程 8 228 处，提水工程 12 896 处。1997 年各类工程的设计供水能力达到 1 190.8 亿 m³，蓄水工程供水的灌溉面积达到 156.49 万 hm²。西北各地区的水资源开发利用情况有较大的差异。下面以新疆和河西走廊为例，来进一步说明我国西北地区水资源开发利用现状。

截至 1998 年，新疆全区已建水库 472 座[101]，总库容 66.7 亿 m³，配套机井 3.4 万眼，水利工程年供水量 478.9 亿 m³，已累计解决了 879.27 万人、2 505.52 万牲畜的饮水问题。干、支、斗、农 4 级防渗渠道总长 9.19 万 km，春季水库蓄水 43.7 亿 m³，总灌溉面积 372.7 万 hm²。引用地表水已接近河流径流量的 60%，水库的总库容逐年有所增加，4 级农渠和防渗渠道增长较快，但渠系有效利用系数提高不大。

目前新疆的总用水量中，生活用水仅占 1%，工业用水占 2.5%，农业用水占 96.5%。这种用水结构反映了新疆的经济结构有待调整。由于农业用水量大，加上河流上下游地区用水矛盾，造成中、上游大量用水，下游严重缺水，以致下游生态恶化，尤以南疆的塔里木河、北疆的乌鲁木齐和克拉玛依等地最为严重。

河西走廊分布着三大内陆河流：石羊河、黑河和疏勒河[102]，多年平均水资源总量为 85.7 亿 m³，1997 年供水量为 81.69 亿 m³。三大内陆河开发利用程度极不平衡，石羊河流域水资源开发利用程度最高，已开发过度，而疏勒河流域尚未全面开发。目前河西地区共修建各类水库 142 座，总库容达 11.87 亿 m³，有效库容为 9.63 亿 m³。其中山区水库 30 座，控制走廊出山河流的 36.21% 的径流量，石羊河流域最高，控制出山径流量的 57.8%；疏勒河流域最低，控制河川径流量的 21.1%。黑河及疏勒河干流上还没有山谷水库，径流处于无调节状态。区域内有平原水库 112 座。据 1997 年统计，地表水实际利用量为：泉水 19.13 亿 m³，河水 44.68 亿 m³，河水引用率为 63.5%。目前河西地区灌区建设已具有相当规模，共有各类灌区 80 个，其中山水灌区 44 处，井泉灌区 16 处，雨水灌区 20 处，总控制灌溉农林地面积 60 万 hm²。随着引水渠道修建完善和渠道衬砌，由河渠入渗补给的地下水水量大减，导致泉水流量减少，井采水量不断增加。目前，井采地下水主要集中在石羊河流域，井采地下水量约占全河西地下水开发总量的75%。

在河西地区的总用水量中，农业用水量最多，为54.07亿 m³/a，占84.7%。多年来，在"以粮为纲"方针指导下，特别是20世纪80年代以后建设河西商品粮基地，大面积开垦荒地，进一步扩大了农业开发的规模，河西地区新中国成立初的耕地面积为26.17万 hm²，80年代初实灌面积达到46.49万 hm²，到2001年耕地面积已达83.33万 hm²，实灌面积达65.32万 hm²，实灌面积[103, 104]20年增加了20多万 hm²。新中国成立以来，河西工业经济也有了较快增长，80年代初工业用水2.89亿 m³，2001年已达到4.258 8亿 m³。这种工农业经济发展结构与河西有限的水资源的矛盾日益显现。同时，随着城市化的发展，人民生活水平的提高，生活用水总量和用水强度也在不断增大。80年代初河西城市生活用水和农村人畜用水分别为0.09亿 m³ 和0.52亿 m³，到了2001年，已分别达到1.045 9亿 m³ 和0.735亿 m³。

8.2　水土资源基本情况的比较

从气候角度来说，我国西北地区的降水量从东向西逐渐递减，贺兰山以东年降水量为 200～600 mm；贺兰山以西为内陆盆地，地形海拔高度对降水的影响极为明显，降水集中在山区，各自形成不同的降水高值中心；而盆地中部则极端干燥少雨，大部分年降水量少于 200 mm，盆地中心往往少于25 mm。如塔里木盆地多年平均降水量在盆地西北部山前平原为 50～70 mm，南部山前平原仅 16～32 mm，蒸发量达 2 500～3 000 mm，多年平均气温 10 ℃左右。柴达木盆地平原区年降水量不足 50 mm；蒸发量却达 2 500～3 000 mm，中心地带超过 3 600 mm。河西走廊从东到西年降水量为 150～25 mm，蒸发量在 2 000 mm以上。准噶尔盆地平均年降水量是 4 个盆地中最多的一个，但也不足 200 mm，在其腹地古尔班通古特沙漠不足 100 mm。总之，西北地区的内陆盆地，其山区降水量与平原区降水量差别很大。这种情况与第一章中所描述的咸海流域情况相比，无论从降雨量还是从降雨的分布来看，我国西北地区与咸海流域是非常相似的。两区同属一个气候带，只是高山所隔，理应没有太大的差别。

从自然地理的角度来说，我国西北地区位于天山以东，咸海流域位于天山以西，都是巨大的内陆盆地。其地貌特点是山脉与盆地相间，这种地貌格局决定了水资源的形成、分布和循环不同于其他地区，它们分别构成了各自独立的水循环系统。例如，咸海流域的阿姆河和锡尔河均为独立的内陆河水系(见第一章)，而我国境内的塔里木河也属于一个独立的内陆河水循环系统。盆地周边山麓平原的河流两岸分布着大小不等的绿洲，盆地中心地带为一系列内陆沙漠，例如，咸海流域有卡拉库姆沙漠、克孜勒库姆沙漠等，我国西北地区有塔克拉玛干沙漠、古尔班通古特沙漠。因此，从这个角度来说，我国西北地区，特别是新疆内陆河流域与咸海流域是非常相似的。

从水资源形成的角度来看，内陆河的共同特点是径流产生于山区，依靠山区降水、冰川积雪融水补给。盆地中部的平原区降水稀少。一般在枯水季节以地下径流为主，夏季以雨水和冰雪融水径流为主，在不同的流域中各种径流所占比例在不同时期变化很大，主要取决于高山区冰雪覆盖面积的比例。冰雪覆盖面积越大，其冰雪融水径流也就越大。水源主要来自山区。高山的冰雪资源对河川径流量起着调节作用，使河川径流量年际变化比较稳定。河流进入平原后河水大量下渗，迅速转化为地下水，往往至洪积扇前缘又以泉水形式溢出地表，并汇集成河，最终消失于沙漠或汇入湖泊。我国的塔里木河、咸海流域的阿姆河和锡尔河都具有上述特点，除了所处的地理位置不同，三条河的流域自然特征大同小异，没有太大的差别。阿姆河和锡尔河的流域特征详见第一章，下面简要地介绍一下塔里木河的情况。

塔里木河位于新疆维吾尔自治区塔里木盆地北部[104]，是我国最大的内陆河。塔河全长 2 421 km，流域面积 43.55 万 km²，其中在我国境内流域面积 41.48 万 km²。塔河供水以冰雪融水为主，有时局部暴雨和短时高温融雪形成较大洪水，洪水过程变化缓慢。多年平均年径流量在阿拉尔站为 49.22 亿 m³，实测最大值为 69.59 亿 m³。年内径流分布不均匀，夏秋季为洪水期。塔里木河分上、中、下游三个河段，从肖夹克到英巴扎为上游，长 495 km，河道比较顺直，很少有汊流，河道内常年有水，而且水质好，补给量大于排泄量。从英巴扎到卡拉为中游，长 398 km。中游地势平坦，河道弯曲，土质松散，泥沙沉积严重。中游段缺口多，洪水期注入沙丘洼地的积水，几乎全部耗散于蒸发，直接转为地下水的很少。卡拉以下到台特马湖为下游，长 428 km。下游河道比较稳定，但由于平原型河流沿途水量不断消耗，下游地表水水量不断减少，补给就更少。所以，1970 年后英苏以下 266 km 河道断流，塔里木河无水流入台特马湖，该湖于 1974 年后干涸。

从更大的范围来看，塔里木河号称九大水系，塔河共有大小支流183 条，在 20 世纪初有常年性河流 128 条，年径流量之和为 407 亿 m³，流域总面积达 102 万 km²。塔河西侧是塔克拉玛干大沙漠，东边为库鲁克沙漠，塔河下游冲积平原就在两大沙漠之间。这条内地通往新疆的战略要道，由于历史上河流两侧植被较好，被称之为"绿色走廊"。然而，由于水土资源的不合理开发，加上气候的变化，"绿色走廊"一度面临死亡的危机。历史上汇入塔河干流的九大水系，今天只剩下阿克苏河、和田河、叶尔羌河以及孔雀河(人工输水)向塔河干流供水，其他支流均在 20 世纪 80 年代初就全都断流，消失于各自河流水库和灌溉绿洲。塔河下游大西海子水库以下 358 km 河道长期断流、湖泊干涸，使得台特马湖干涸 30 年之久，土地沙化。沿河两岸胡杨林面积大幅度减少，绿洲退化，两大沙漠大有合龙之势。该流域成为中国生态环境最恶劣的地区。

值得庆幸的是，塔河下游生态环境的劣变，引起了我国社会各界的广泛关注[105]，2000 年 4 月，水利部开始实施第一次生态应急输水，从此拉开了塔河综合治理的序幕。2001 年 2 月，国务院批准了塔河的综合治理方案。综合治理规划列出了 500 多个建设项目，总投资为 107亿元。至今，已安排项目 113 项，开工 101 项，基本完工 57 项，重点工程全部开工。从 2000 年至今已先后 6 次向塔河下游应急输水 14.47亿 m³，使河道两岸的生态得以返青、复苏和修复，地下水水位回升；使台特马湖形成了 200 多 km² 的水面，水质明显改善。

从水土资源的基本情况来看，我国西北地区与咸海流域既有相似之处，也有很大的差别。为了说明这方面的情况，我们将有关资料列成表 8-2。

在表 8-2 中所列出的我国西北地区的参数是指该地区内陆河流域的参数，这与咸海流域的参数是一样的，因此有可比性。在水资源总量栏内，我国西北地区和咸海流域都是只列出地表水加地下水之和，

表 8-2　我国西北内陆河流域与咸海流域基本情况的比较

地区	流域面积 (万 km²)	水资源总量 (亿 m³)	耕地面积 (万 hm²)	灌溉面积 (万 hm²)	人均灌溉面积 (hm²/人)	人口 (万人)	人均水资源量 (m³/人)	用水量 (亿 m³)	利用率
西北地区	245.9	1 035	533.3	408.9	0.168	2 443	4 108	560	0.54
咸海流域	238.6	1 119.3	3 897.5	1 021.2	0.246	4 150	2 694	1 050	0.94

且咸海流域扣除了阿姆河在阿富汗和伊朗的水量 214.93 亿 m³,同时没有列出咸海流域的回归水,因为回归水实际上属于回收再利用的范畴。从表 8-2 中可以看出,我国西北地区内陆河流域与咸海流域相比,流域面积和水资源总量相差不大,而我国西北地区的耕地面积仅为咸海流域的 1/7,灌溉面积仅为 2/5,人均水资源量是咸海流域的 1.52 倍。但是由于水资源与人口、耕地的地区分布极不均衡,我国西北地区有相当大一部分水资源分布在地势高寒、自然条件较差的人烟稀少地区和无人区,水资源主要以冰雪融水补给为主,年内分配高度集中,汛期径流量可占全年径流量的 80%,部分河流汛期陡涨,枯季断流,开发利用的难度较大。而自然条件较好、人口稠密、经济发达的绿洲地区水资源量十分有限。然而,从另一个角度来说,随着西部大开发的推进和西北地区社会经济发展的需要,我国将逐渐在自然条件较差的人烟稀少地区开展水利工程建设,开发高寒地区和无人区的水资源。从这个角度来说,与咸海流域相比,我国西北地区内陆河流域有相当大的潜力可挖,发展空间比咸海流域大得多。

从水利工程建设的角度来看,从中亚各国加入苏联到苏联解体约 70 年间,咸海流域进行了大规模的水利工程建设,先后建成了一大批高坝大水库。据报道,现在在咸海流域共有 80 多座库容大于 1 000 万 m³ 的水库[28],总库容 645 多亿 m³,其中有效库容 465 亿 m³。更为重要的是,在两条河的上中游都建有大型控制性工程,例如在阿姆河上有努列克水库,其总库容 105 亿 m³,有效库容为 45 亿 m³;秋雅穆云水库,其设计总库容 78 亿 m³,有效库容 53 亿 m³;正在建设的罗贡水库,设计总库容为 133 亿 m³,有效库容为 86 亿 m³。在锡尔河上有 5 大水库,它们是托克托古尔水库、恰尔瓦克水库、安集延水库、凯拉库姆水库和恰尔达拉水库。这 5 座水库设计总库容 331.3 亿 m³，总有效库容 241 亿 m³。这些水库对两大河流的水资源起着季调节、年调节甚至多年调节的作用，使得整个咸海流域的经济发展拥有用水的保障。此外，还兴建了大量的饮水、提水和调水工程。相比之下，我国西北地区内陆河流域就欠缺得多。无论是在我国的塔里木河上，还是在河西走廊的三大内陆河上，虽然也兴建了许多水库，总库容也不算少，但是在河流上游都缺少巨大的控制性工程，缺少起年调节和多年调节作用的大水库。此外，在水能利用上，我国内陆河与咸海流域也存在相当大的差距。

从水资源利用的角度来看，从 20 世纪 70 年代下半期开始，咸海流域的水资源就已用尽。从两河(指阿姆河和锡尔河)的取水量等于甚至超过其再生水资源量(比美国科罗拉多河还高，在当今世界上绝无仅有)，亦即每年取水 1 100 亿～1 200 亿 m³，其中农业灌溉用水量为 1 000 亿～1 060 亿 m³。从而导致咸海水位的下降，使咸海流域发生生态危机，造成灾难性后果。我国西北地区内陆河流域因工农业生产的需要，每年的用水量也很大，约为 560 亿 m³，占内陆河流域水资源总量的 54.2%，这个数据应该引起我国高层领导的高度关注，因为它远远超出世界河流水资源开发利用率为 30% 的生态警戒线的水平。在局部地区，如乌鲁木齐内陆河流域和石羊河流域，水资源利用率分别已达 108.1% 和 104.7%，超过流域可再生的水资源量。水资源利用程度的提高直接引起干旱区水文状况的剧烈变化，河道缩短，湖泊萎缩或干涸，区域地下水位下降以及流域水量的时空重新分配等。长期维持下去，必然导致生态灾难，咸海流域就是一面活生生的镜子。

从人口增长的角度来看，我国西北的内陆河流域同咸海流域一样，人口增长非常快。20 世纪以来，特别是近二三十年，咸海流域绝对人口增加迅速。到 2001 年，咸海流域共有人口 4 250 万，与 1950 年咸海流域 980 万人相比，52 年来，咸海流域人口翻了两番还多。我国西北的内陆河流域也不例外，2000 年石羊河流域祁连山自然保护区内人口为 68.56 万人，为 20 世纪 50 年代的 4～5 倍[103]。塔里木河流域、黑河流域、青海内陆河等流域的人口也都大幅度增长。为了养活不断增长的人口，同时由于对森林、灌木丛、草地涵养水源的作用认识不足，毁林开荒，毁草种田，破坏了一部分森林、灌木丛和草原，使裸露地面不断扩大，减少了林、牧业生产面积，降低了水源涵养功能，增加了水土流失强度，严重地威胁着水库安全和使用年限，影响平原地区的农林牧业生产。人口高速增长挤压了狭小的生存空间，使原本就比较脆弱的生态环境变得更加脆弱。

此外，通过与其他国家(如美国的科罗拉多河)河流流域水资源利用的比较研究，我国西北地区的内陆河流域和咸海流域都存在以下问题：农业灌溉面积的扩大和用水浪费导致用水紧张；国民经济发展用水挤占原有的生态系统用水，致使植被退缩，水土流失严重，生态与环境恶化；某些地区大量兴建平原水库，造成大面积蒸发使水资源浪费；工农业用水和生活用水效益差，特别是灌溉定额偏高，用水效率低；水资源统一管理滞后，难以适应水资源可持续利用的要求；人口过快增长导致对水资源的需求膨胀，如此等等，不一一列举。

8.3 对我国西北地区水资源开发利用的建议

就水资源而言，我国西北地区的水资源承载能力与其经济社会的发展不相适应，目前是以稀缺的水资源和最脆弱的生态环境，负担着历史上最大规模的人口发展和社会经济活动，面临着历史上最为严峻的水资源短缺的挑战。因此，在西北地区，特别是在内陆河流域，提高用水效率显得尤为重要。确立节约优先、防污并重、多渠道开源的原则，全面建设节水型社会，走水资源可持续利用之路，不蹈咸海流域之复辙，是解决西北地区水问题的根本之路。

建议根据水资源的承载能力[106]，调整西北地区的产业结构和工农业的布局。调整水资源的使用顺序，应该以人为本，首先保障人、畜饮用水，然后是精细工业用水，第三为一般工农业用水。西北应走以油气换粮、以矿换粮、以肉换粮、以棉换粮的路子。在西部不应过分强调粮食自给，要发展特色农业和旱作农业。现在新疆粮食已经自给，不宜在塔里木河流域再扩大灌溉面积，要因地制宜，宜农则农，宜草则草，宜荒则荒，视水土资源而定。保证生态用水，让塔里木河向下游输水由应急走向长远，而且要细水长流。倡导、培育人与人、人与水、人与自然和谐相处的生态文明。

建议推进以塔里木河、石羊河等流域生态治理为重点的流域综合治理、水资源科学调配、水源地保护工程。特别是对那些取水量超过水资源总量 60%的流域，例如乌鲁木齐内陆河流域和石羊河流域，要立即加大力度进行综合治理，开源节流，保护水源，保护生态，否则就要重蹈咸海流域的复辙。在水资源建设方面，应该废除那些水浅、面积大、蒸发损失大的浅水平底水库，在河流流域的中、上游兴建几座河谷型深槽水库，像咸海流域那样对水资源进行集中控制，实行至少是季调节、一般为年调节和尽可能的多年调节。在下游滩地区多打一些水井，让雨水和洪水通过这些水井回灌地下，保护和兴建一批地下水库，待干旱缺水时再用水泵从地下水库抽出地面使用。

在水权管理上应该建立权威、高效、协调的水资源管理体制，全面实行水资源的统一规划、统一管理。对本流域内的一切水利设施(包括天然河道、人工修筑的堤坝、渠系、泵站、电站、水库、堰闸等)、上下游、干支流实行集中管理，统一调配水资源，使有限的水资源得到高效合理的利用。任何单位和个人若想越权干涉，都被视为非法，轻者处罚，重者问责，直至追究刑事责任。对水资源用量实行配额管理，节约有奖，超限罚款，且超限越大者，罚款基数应越高。假定超限 1 万 m^3，其每立方米按照 1 元罚款，而超限 10 万 m^3，其每立方米应按照 5 元或更多来罚款，以期杜绝浪费用水。

建议在水资源规划上，应该像联合国教科文组织对咸海流域所作的水构想那样，从现有的水资源量出发，充分考虑未来水资源的承受能力，考虑到未来人口的发展规模(有资料说我国大约在 2030 年人口达到 16 亿，届时人口的自然增长率与死亡率达到平衡，按照比例计算，估计届时西北地区的人口可能达到 1.7 亿~2 亿，甚至更多，而其内陆河流域的人口有可能达到 5 000 万)，即便如此，与咸海流域相比，我国西北地区(包括其内陆河流域)也有相当大的发展空间。从现在起，我们要规划好西北地区各种产业未来的发展方向，调整好产业结构，严格禁止上高耗水的项目，压缩已有的高耗水的工农业生产，小城镇建设不能撇开水资源现状、盲目发展扩大。

建议在西北内陆河流域建设新项目(无论是工业项目和农业项目)时，首先进行用水的经济效益比较研究，比较同样大小用水量时，哪个项目经济效益好就上哪个项目；比较单位效益同样大小时，哪个项目用水量少就上哪个项目；适当增加油气资源和盐湖钾肥的勘探和开发，压缩农业种植业特别是棉花生产的规模，保证生态用水需求。建议在少数民族地区同样开展计划生育工作，使西北地区人口、经济、社会、生态环境与水资源和谐相处，协调发展。总之，要建立起"以水定人口、以水定项目、以水定生产、以水定发展"的宏观调控机制。

建议在西北内陆河流域进行节约用水的基本建设，加快推行节水技术和节水措施，加强各类节水设施建设。各行各业要千方百计降低水的需求，这要求工业发展必须按水资源条件设置。水量有限，而经济发展水平在不断提高，需水量不断增长。建立节水型的工农业以及生活用水体系，是西北地区可持续发展的关键，应该作为大规模的基础设施建设对待。通过地下输水等措施减少蒸发，一点一点地扩大绿洲。我们应该通过西部大开发建设一批节水型城市、节水型农牧业和节水型工业，这是水利建设的一场重大革命。节水革命是西部开发的必由之路！

建议加快南水北调西线工程的步伐，争取西线工程尽快上马，但西北用水应立足于本地水资源，不能过多依靠外来水。外来水只能作为辅助的、救急的水资源，只能解决局部地区的部分水资源短缺问题。在调水过程中必须解决输水渠道的渗漏问题，汲取卡拉库姆运河的惨重教训（该运河年调水 120 亿～130 亿 m^3，却漏掉 60 亿 m^3）。必须解决泥沙淤积问题，避免像卡尔希灌溉总渠那样，每年大量挖泥疏浚，导致环境污染。调水必须与节水相结合，建设节水型社会才是解决我国干旱地区缺水问题最根本、最有效的战略措施。

西北地区特定的自然地理和水资源条件决定了水在社会经济发展、生态建设和环境保护中的极端重要性，水利建设和水资源优化配置对西北地区的社会经济发展和繁荣起着十分重要的作用。人类活动对西北的影响是逐渐加大的，而生态环境的反馈有一定滞后性。随着人口压力的增加，农牧活动的加剧及工业化加快，对生态环境影响越来越大。有正面影响，也有负面影响，但多数是负面的，这种影响应该在自然承受能力之内。人类应该努力约束自己的行为，力求使不利影响变为有利影响，使人与水、人与自然和谐相处，协调发展。具体地说，西北地区的经济发展要把合理保护生态系统作为经济建设的重要内容，避免以牺牲生态系统为代价的发展模式，建立既满足经济发展需要，又满足生态系统保护要求的水资源合理配置格局；要通过水资源的合理开发和高效利用，促进生态建设和环境保护，扩大西北地区的发展空间，提高重点地区的水资源承载能力，保障西北地区的可持续发展。

编译随想

各位读者，不知您在看完了这本小册子之后，内心有何感受。编译者从事信息研究工作近30年。从未有过像此次这样的难以言表的心情，也从未产生过像今天这样一定要写点什么的冲动。老实说，在以往的编译过程中，编译者总是尽可能地避免用自己的话来评述某种观点或方法，如果遇到实在需要对某种观点或方法进行评述，本人一般都是尽可能地寻找第三方专家来评述。这样做有两个好处，一是牢记自己只是一个信息工作者，对水利行业的知识最多只是一知半解，无权更没有资格来评论专家们所研究的事物和方法。决不能因为自己浅薄的专业知识而误导自己的读者。二是别人同样是同行业的专家，别人的观点与见解应该更容易被同行的专家和学者所认同，即便是错误的，那也是同行专家的不同见解或争鸣，编译者只是忠实地反映了不同的意见而已。同样，这一次面对"咸海流域水利工程对生态环境的影响"这样一个在世界上争议最大、影响最广的大题目，编译者只是一个无名小卒，本来就无权、更没有资格来说三道四。因此在编译过程中如同以往一样，始终本着"有一说一，有二说二，有据可查"的原则来做这件事，力图客观、全面、正确地把外国人对咸海流域的不同观点和看法原原本本地介绍给国内读者，至于这些观点和看法是对还是错由读者自己去评价，编译者不去妄加评论。然而，这一次这个题目所涉及的内容对编译者的触动太大，编译者在完成了这项工作之后，想用自己的语言表明自己在编译这本小册子的过程中所经历的那种"振奋、痛心、企盼"交织在一起的内心感受。下面编译者想把自己的感受和盘托出，与读者一起交流，有不妥或谬误之处还望读者不吝赐教。

众所周知，第二次世界大战之后，在军事上，世界上出现了两大集团，这就是以苏联为首的华约集团和以美国为首的北约集团。为了称霸世界，在军事上取得优势，两大集团进行了代价高昂的军备竞赛，从而使世界进入了两强长期对峙的冷战时代。与之相应的在政治上出现了两大阵营，即以苏联为首的社会主义阵营和以美国为首的资本主义阵营。遗憾的是，在社会主义阵营中，由于赫鲁晓夫1956年在苏共20大闭幕后几小时内作了个秘密报告，全盘否定斯大林。赫鲁晓夫打着反对个人崇拜、反对独裁的旗号，而自己却在大搞独裁统治。例如，在经济上，赫鲁晓夫在社会主义阵营内打着"国际分工合作"的旗号，指派某国生产某种产品，若不服从就要遭到惩罚。赫鲁晓夫这一套虽然遭到一些社会主义国家的反对，但在其国内却畅行无阻，他把全苏联划分为18个经济区，哈萨克为一个独立的经济区，主要发展畜牧业和农业，而乌兹别克、土库曼、吉尔吉斯和塔吉克四个加盟共和国为一个中亚经济区，主要发展农业、种植业。正是在这样的大背景下，咸海流域变成了苏联的农业、特别是棉花的生产基地。

要发展农业生产，特别是农业种植业的生产，其首要条件是必须要有水，因为水是万物之源，如果没有水一切都无从谈起。所以苏联为了发展农业生产(其实质是为了给军备竞赛积累资金)，利用中亚日照等有利的自然地理条件，在咸海流域大规模地开展水利工程建设：修渠筑坝，移民建镇，开垦处女地，兴建水泵站和水电站，兴利避害，大力开发水资源来发展灌溉农业，使得原本贫瘠的土库曼荒原和卡拉库姆沙漠，出现了一大片一大片的绿洲，使得荒无人烟的饥饿草原变成了无边无际的金黄色麦浪，使得颓废衰败的吉扎克草原开发成银白色的棉花海洋，使得积贫积弱的纳曼干和费尔干纳变成了苏联的巨大粮仓；一座座城市拔地而起，一家家集体农庄或国营农场如雨后春笋般地建立起来，从无到有，从小到大，茁壮成长。与此同时，人力资源也获得了巨大的发展，人口成倍增长，从1950年的980万增加到2001年的4250万。原本一穷二白的咸海流域出现了史无前例的跨越式发展，粮食不断增产，棉花年年丰收，经济蒸蒸日上，国家实力明显增强，人民生活大大改善。那时，咸海流域真可谓是芝麻开花节节高，一派繁荣兴旺、生机盎然的景象。经过不懈的努力和水利工程建设，使苏联的棉花产量最高达到996万t(其中946万t是咸海流域生产的)，成为名副其实的世界第一，人均粮食产量同样排在世界前列，从而使得苏联拥有了与美国争霸的经济和物质基础。

在轰轰烈烈的水利工程建设中，中亚各国的筑坝技术取得了突飞猛进的发展，达到了世界领先水平。具体表现为 1976 年开工建设世界第一高坝——335 m 的罗贡土石坝；1978 年建成高 215 m 的托克托古尔混凝土重力坝，在混凝土重力坝方面，该坝坝高排名世界第六；1980年建成世界第二高坝——300 m 的努列克土石坝；1996 年开工兴建275m 的世界第三高坝——卡姆巴拉金 1 号土石坝。至此，在土石坝筑坝技术方面中亚人创造了世界奇迹，他们囊括了土石坝坝高世界前三名。众所周知，现代的筑坝技术，已是一个国家科学技术发展水平的重要标志，因此在 20 世纪下半叶，苏联敢于与美国争霸，企图在经济战线上取得优势是可以理解的。

任何事物都有两面性，咸海流域也不例外。读者从这本小册子中可以看出，因水而产生的咸海生态灾难震惊了全世界，在全球范围内是绝无仅有的，至于这场灾难的损失到底有多大，编译者虽然在这本小册子中罗列了 12 条，但是仍然感觉是说不清道不明的，是罄竹难书的。因为涉及到沿岸数百万居民的生命安全，让咸海流域的居民过去、现在和将来所承受的巨大痛苦是难以用语言表达的，从而让每一个有良知的人都为之痛心万分。咸海的生态灾难从反面告诉我们，水资源的可持续发展对我们来说是多么的重要。

说到可持续发展，就自然而然地使人们联想到生态文明，人类社会发展到今天，已经进入了生态文明的时代。在生态文明时代，人类在自然面前应该保持一种理智的谦卑态度。人们不再谋求凌驾于自然之上，企图改造河山，征服自然，而是力图与自然和谐相处。科学技术不再是征服自然的工具，而是维护人与自然和谐相处的助手。在水利工程建设中，生态文明应该表现为用水文明。所谓用水文明，就是人类不仅考虑自身发展对水的种种需求，而且珍惜并努力维护各类生物种群对水的需求，促进人与水、人与自然的和谐共存。换言之，未来的水利工程应该具有双重功能，即不但是具有直接功效的供水、防洪、发电、航运功能，而且还应该是有利于生态系统健康与稳定的生态工程。在生态文明时代，人类不再为了眼前的利益而毫无节制地挥霍自然资源，破坏生态环境，而是把维护地球的生态平衡视为赖以生存的基础，重新确立人在大自然中的地位，重新树立人的"物种"形象，把关心其他物种的命运视为人的一项道德使命，把人与自然的和谐共存、协调发展视为人的一种内在的精神需要。从而谋求人与自然界的其他物种长期相依共存，和谐发展。舍此再好的发展最终必然丧失其意义。咸海流域所发生的这一切就充分说明了这个真理。

在这本小册子中罗列了国外学者和专家们分析咸海危机的原因。从生态文明的角度来看，咸海的生态灾难是一个最好的反面教材，它告诉人们，水利工程建设是涉及到千秋万代的宏基伟业，在制定当代人的水利发展计划时，应该依据代际公平的原则，综合考虑当代人的需要和后代人的需要，将一个可持续的生态环境和社会环境留给子孙后代。如果当代人只考虑自己的需要，将仅有的水资源都吃光用光，甚至超限取用，那么，留给后代人的只能是无穷的患难，不仅社会环境不公平，而且经济环境和生态环境更恶劣，将给它们实现彼此间的公平以及与自然的公平增加更大的难度。因此，为了后代的长治久安，为了国家的可持续发展，我们应该从咸海事件中汲取深刻的教训，把我国的江河治理好，特别是我国西北地区的内陆河流域治理好。史有楼兰和罗布泊可鉴，现有咸海当镜子，若不认真汲取有益的教训而重蹈其复辙，那将不仅是对当代人犯下不可饶恕的罪行，而且是对我们的后代犯罪，死后也不会得到后代人的宽恕。

谈到汲取教训，那么什么是咸海留给我们的教训呢？编译者既不是学水利工程的，也不是学生态环保的，因此在专业技术上归纳不出咸海流域在水利工程建设中在生态环境方面的失误，有关这方面还是留给水利工程和生态环保的专家们去评论短长，编译者只想在以下几方面再罗嗦一番，提请有关领导和专家们关注。

咸海的干涸过程是从 1961 年开始的，到 1987 年，咸海的生态危机完全成形，危机对生态和经济的负面影响在各个方面都已显露无疑。这里有以下几点引起了编译者的思考。

第一，拼资源、拼消耗的跨越式发展是短暂的、不可持续的。从咸海流域的发展过程来看，二战以前就开始了水利工程建设，发展灌溉农业。但当时因各种原因，发展速度不算快，比较适度，因此对生态环境没有影响或影响不大。二战以后，特别是从 1960 年到 1985 年，咸海流域以水利工程建设带动灌溉农业的发展，虽然促进了整个社会经济的跨越式发展，但是宝贵的水资源也消耗殆尽。实际上在 1985 年以后，咸海流域的灌溉农业就处于停滞不前或略有衰退的地步，苏联解体后咸海流域的工农业生产更是大幅度下降，直至现在其工农业经济也没有完全恢复到 1991 年的水平。这充分说明，高投入、高能耗、高消费、拼资源的发展不但不能持久，而且还是产生能源危机、水危机、生态危机的根源。咸海流域的生态危机就是这样一个活生生的实例。要解决这些危机，人类就必须寻找一条新的发展道路，实现节约资源、保护环境、生态文明的可持续发展战略。

第二，苏联政府对咸海流域生态环境的恶化反应迟钝。从 1961 年到 1987 年长达 26 年中，直到 1981 年，即从咸海水位开始下降的 20 年后，苏联水利部才开始制定《关于咸海水位下降不良后果的评价和减少不良现象、调节咸海水情、防止阿姆河和锡尔河三角洲荒漠化和盐碱化的综合措施》的技术经济报告的基本原则，而这份报告直到 5 年后（即 1985 年）才正式出炉。所制定的措施对遏制咸海生态危机来说并没发挥多大作用。从 1961 年到 1991 年苏联解体，在这 30 年中，面对咸海生态危机的日益深化，在苏联政府所采取的措施中，最重要的就是 1987 年分别成立了"阿姆河流域管理局"和"锡尔河流域管理局"，以及由两个流域管理局具体执行的对各加盟共和国"限量供水"。除此之外，苏联政府几乎没有采取多少行之有效的措施。这不能不说是个重大的、无法弥补的过失犯罪。

第三，社会动荡使生态危机持续恶化。1990 年，苏联真正认识到咸海生态危机的严重后果，在全国范围内有奖征集解决危机的方案，计划在所征集的方案的基础上研制治理措施。遗憾的是，在治理措施尚未制定出来时，苏联却解体了。原加盟共和国纷纷独立成主权国家，咸海成了无人过问的"第六国"。各国不但没有消减用水量以缓解咸海危机，反而想方设法为自己多用水寻找依据，致使咸海危机持续深化，越来越严重，变成灾难。

第四，从咸海流域水资源的开发过程来看，生态环境的反馈有一定的滞后性。也就是说，咸海流域水利工程的建设对社会经济的正面影响是迅速的，立竿见影的。比如说，卡拉库姆运河一期工程建成投产，它引来了水，扩大了农田灌溉面积，当年就增加了棉花和粮食产量，其经济效益当年就显现出来。而输水渠道两岸由于渗漏，使宝贵的水资源大量损失在沙漠中，造成大面积土壤次生盐碱化、沼泽化等负面影响。这些负面影响在渠道运行的头几年没有明显的表现，而是有一个缓慢的孕育发展过程。这样就促使人们去接二连三地开工建设第二期工程及其他工程，而且其后续工程也是成功的，有效益的，且表现出工程规模越大，其效益就越明显。这就促使了苏联在20世纪50～60年代在咸海流域大规模水利工程建设的持续发展。直到1961年，人们发现咸海水位下降，也没有引起重视，继续大量引用水资源，1974年发现咸海沿岸生态发生变化，咸海的捕鱼量减少，船舶航行越来越困难，但通过疏浚还能行船，人们还是没有特别在意，认为引用水资源的经济效益大于负面影响，因此继续截流引用水资源来发展农业生产。就这样，正面效益被一次次强化，而负面影响被一次次忽略，积累到80年代中期，负面影响越来越大，直到开始影响到沿岸居民的健康，这时才被人们所重视，然而为时已晚。后来，不要说没有采取什么重大措施，就是采取一两项重大措施，恐怕也于事无补。拯救咸海已经没有希望，现在采取的措施，充其量只能延缓咸海消失的时间。

我国是个发展中国家，虽然改革开放以来我国经济、社会获得了较快的发展，国力有所增强，人民生活水平显著提高，也赢得了国际社会的普遍尊重。但是，与我们和平崛起的既定目标还相差很远，现在又面临着多方面的压力，人口不断增长，石油电力短缺，自然资源（包括水资源）匮乏，外部势力虎视眈眈。与世界先进国家相比，我国在许多方面还有相当大的差距，例如，在水能资源开发上，我国是世界上水能资源最丰富的国家，到2003年末，我国只开发了24.4%的水能资源，而在大多数发达国家，水电资源的开发利用率极高，有的国家甚至高达90%以上，水电开发接近饱和；在水资源建设上也是如此，例如美国已建成水库5万多座，其中库容为1亿 m^3 以上的大型水库703座，总库容为1万多亿 m^3，总库容占本土年径流量60%以上。而我国到2003年所修建的水库总数为85 153座，数量并不少，总库容为5 658亿 m^3，其中大型水库只有453座，总库容为4 278亿 m^3，大型水库的总库容占我国年径流量的15.8%。与美国相比，就水库库容来说，我国只是美国的 1/2 都不到，就对水资源的控制能力来说，我国的控制能力仅为美国的 1/4，这是多么大的差距啊！有差距是坏事，也是好事。所谓好事就是我们有更大的发展空间。我们既不能"因噎废食"，怕影响生态环境就不建水利工程，也不能盲目地建设水利工程而不顾生态环境的需要。而是要在水利工程建设中充分考虑生态环境的用水需求，把我国的水利工程建成既具有直接功效的供水、防洪、灌溉、发电、航运工程，而且还应该是有利于生态系统健康与稳定、使生态由"恶"变"良"、平衡发展的工程。为了中华民族的伟大复兴，让我们借鉴一切先进的经验和教训，把我国的水利工程建设成为不仅兴利避害，而且生态良性循环的璀璨明珠。

参 考 文 献

[1] Есенов Ш. Е., Сыдыков Ж., С. и др.. Проблема Аральского моря должна быть решена. Гидротехническое строительство, 1992(3): 1 ~ 3

[2] Порочкин Е.М., Зарбаилов А.Ю.. Внутренние водные пути СССР (Справочник). Москва: Транспорт. 1975, 432

[3] AQUASTAT. General summary for the countries of the Former Soviet Union. http: //www.fao.org/ag/zh/gui.des/2001-02-27

[4] 赵常庆. 中亚五国概论. http: //www.zy.gov.cn.

[5] 吴利慧译. 拯救即将枯竭的咸海. http: //www.zy.gov.cn.

[6] Кесь А. С.. Естественная история Аральского моря и приаралья. Известия Академии наук СССР: Серия географическая, 1991 (4): 36 ~ 46

[7] Сергей Хецуряни. Центр внимания - Аральское море. http: //www.megapolis.ura.kz /2004-04-22

[8] Андрианов Б.В.. История воздействия на природу аральского региона. Известия Академии наук СССР: Серия географическая, 1991 (4): 47 ~ 61

[9] 田裕钊, 刘恕. 百年之后话真知——从 3 个工程案例, 看人类改造自然的 "愿和果" http: //www.waterinfo.net.cn/2001-02-27

[10] Шульц В. Л. Реки средней азии. Ленинград: Гидрометеоиздат. 1965, 690

[11] Чалов Р.С. Русловой режим рек северной евразии (в пределах бывшего СССР). Москва: издательство МГУ. 1994, 336

[12] 赵纯厚, 朱振宏, 等. 世界江河与大坝. 北京: 中国水利水电出版社, 2000

[13] Худайберганов Ю.Х.. Бассейновое водохозяйственное объединение Амударья по межгосударственному распределению воды. Мелиорация и водное хозяйство, 2002 (1): 37 ~ 42

[14] Хамидов М. Х.. 10 лет межгосударственного вододеления в бассейне Сырдарьи. Мелиорация и водное хозяйство, 2002（1）：42 ~ 48

[15] Диагностический доклад по вод. Ным ресурсам центральной азии.. http://www.talaschu.org/upload_files/Diagnostic_Report_rus.pdf

[16] 苏联国家的水概况. 水信息，2000（11）：3 ~ 6

[17] Джулия Бакнелл，Ирина Клычникова и др. Ирригация в Центральной Азии — Социальные，экотомические и экологические аспекты. Всемирный Банк, http：//www. Worldbank.org/eca/environment/ 2003-02

[18] Рубинова Ф.Э. Влияние водных мелиораций на сток и гидрохимический режим рек бассейна аральского моря. Труды среднеазиатского регионального научно-исследовательского института им. В.А.Бугаева. вып. 124 (205). Москва：Московское отделение гидрометеоиздата. 1987

[19] 李明滨，郑纲. 苏联概况.上海：外语教学与研究出版社，1985

[20] Алиев Т А, Мартинкус А Т. Оценка нижнего течения р. Аьударьи в связи с понижением уровня воды Аральского моря. Гидротехническое строительство，1992（3）:3 ~ 5

[21] 杨立信，等. 国外调水工程. 北京：中国水利水电出版社，2003

[22] 水利部水利工程泥沙防治考察团.乌兹别克水利工程泥沙防治简况. 见：中国水利学会等编. 国外水利水电考察报告选编. 北京：水利电力出版社，1993

[23] 杨立信. 土库曼斯坦列宁·卡拉库姆运河简介. 水利发展研究，2002（5）：42 ~ 45

[24] Полад-заде П.А. и др. Опыт строительства крупных каналов. Москва：Колос，1982

[25] Шайтанов В.Я.. Ассоциация "Гидропроект" и ее деятельность в области использования гидроэнергетических ресурсов в государствах Содружества. Гидротехническое строительство, 2002（2）：2 ~ 5

[26] Мирзаев Ф.Т., Турецкий И. Б.. Гидроэнергетическое строительство в Средней Азии и перспектива освоения гидроэнергетических ресурсов.

Гидротехническое строительство，2002(2)：26 ~ 27

[27] J.哈尔库. 咸海流域大坝安全与水库管理. 龚玉锋译. 水利水电 快报，2000 (17)：17 ~ 20

[28] Нестеров Е. Семинар： Вода для производства продовольствия и развития сельского хозяйства. Мелиорация и водное хозяйство， 2000 (1)：41 ~ 48

[29] Шерман С.С.，Рафиков В.А.. Заиление Нурекского водохранилища Гидротехническое строительство，1991(10)：26 ~ 27

[30] Уза. крупнейший инвестор узбекистана. http：//www. press-service. uz/rus/ pressa/p01082004.htm

[31] 聂书岭译. 亚行资助哈农田供水项目. http：//www.zy.gov.cn/ 2004-04-05

[32] Бабаев А. Г.，Кирста Б. Т.. Некоторые аспекты осложнения эколоической ситуации в приаралье. Известия Академии наук СССР: Серия географическая，1991 (4)：89 ~ 95

[33] Решеткина Н. М.，Икрамов Р. К.. Борьба с засолением земель и экологический кризис в приаралье. Мелиорация и водное хозяйство，2000(1)：33 ~ 36

[34] Ходжамурадов К. Мамедов А，Сапаров У. Проблемы отвода дренажного стока с орошаемых земель в бассейне Арала. Мелиорация и водное хозяйство，2003(3)：21 ~ 23

[35] 乌兹别克斯坦共和国一元化的水资源管理. 水信息，2000(3)： 6 ~ 10

[36] 乌兹别克斯坦概况. http：//www.zy.gov.cn/

[37] 乌兹别克斯坦农业概况. http：//www.cafte.gov.cn/2002-11-20

[38] Н. С. 瓦西里耶夫，等. 乌兹别克斯坦水电发展.水利水电快报， 1995(24)：5 ~ 7

[39] 土库曼斯坦概况. http：//www.zy.gov.cn/

[40] Вольмурадов К. М.. Водные ресурсы Турменистан: потенцыиал и использование. Мелиорация и водное хозяйство，2002 (3)： 22 ~ 23

[41] 土库曼斯坦农业概况. http：//www.cafte.gov.cn/2002-11-20

[42] 曲格平. 环境问题从源头抓起.http//www.cepiol.com/

[43] 姚留彬. 中亚水资源管理面临新的挑战与危险. http：//www.zy.gov.cn/2002-06-20

[44] 吉尔吉斯斯坦概况. http：//www.zy.gov.cn/

[45] Кошматов Б. Т.. Водное хозяйство Кыргызской республики：управление，состояние и перспективы Мелиорация и водное хозяйство，2002 (1)：16～21

[46] 吉尔吉斯斯坦农业概况.http：//www.cafte.gov.cn/2002-11-20

[47] 塔吉克斯坦农业概况. http：//www.cafte.gov.cn/2002-11-20

[48] Водные ресурсы Таджикистана—основа сотрудничества государств центральной азии. Мелиорация и водное хозяйство，2002 (1)：21～24

[49] 塔吉克斯坦淡水资源及其利用. http：//ccn.mofcom.gov.cn/

[50] 董大富译，赵建达校. 塔吉克斯坦的小水电发展. 小水电 2003 (3)

[51] 塔吉克斯坦 2015 年前经济发展规划发布. http：//www.zy.gov.cn/2004-06-28

[52] 南哈萨克斯坦州自然、社会经济状况——哈萨克斯坦地区调研. http：//www. zy.gov.cn/ 2004-03-31

[53] 克兹罗尔达州自然、社会经济状况——哈萨克斯坦地区调研. http：//www.zy.gov.cn/ 2004-03-31

[54] Рамазанов А. М. Водные ресурсы Казахстана：проблемы и перспективы использования. Мелиорация и водное хозяйство，2002 (1)：10～16

[55] Козлов В И，Козлов В В. Этнодемографические проблемы Бассейна аральского моря. Известия Академии наук СССР：Серия географическая，1991，(4)：96～102

[56] А.А. Соколов, советское каспийское море未来的命运. 冯立克摘译. 水利水电快报，1989(20)：16～18

[57] Михеев Н Н. Вода без границ. Мелиорация и водное хозяйство，2002 (1)：32～34

[58] А М Мухамедов. О некоторых проблемах рационального и экономного использования воды в республиках Средней Азии. Гидротехническое строительство, 1991(11): 29 ~ 31

[59] Roman V. Jashenko, Tethys 协会, Almaty, 哈萨克, 吴利慧译. 东北亚和中亚东部地区国家生物多样性策略和行动计划通讯. Issue 3/4, 29 March, 2001

[60] Кравцова В. И. Анализ изменення береговой зоны аральского моря в 1975 ~ 1999гг. Водные ресурсы, 2001 (6): 655 ~ 662

[61] 许志方. 水资源的节约和利用. http://www.njhri.edu.cn/2003-09-20

[62] Котляков В. М.. Аральский кризис—научное и общественное звучание проблемы. Известия Академии наук СССР: Серия географическая, 1991(4): 5 ~ 7

[63] Кабулов С. К.. Изменение экосистемы южного приаралья в связи с понижением уровня аральского моря. Проблема освоения рустынь, 1974 (2): 77 ~ 84

[64] Кияткин А. К.. Проблема аральского моря и приаралья. Гидротехническое строительство, 1989(6): 20 ~ 22

[65] Бортник В.Н., Кукса В.И. и др.. Современное состояние и возможное будущее аральского моря. Известия Академии наук СССР: Серия географическая, 1991, (4): 62 ~ 68

[66] Турсунов А. А.. Аральское море и экологичекая обстановка в Средней Азии и Казахстане. Гидротехническое строительство, 1989(6): 15 ~ 19

[67] Мирзаев С.Ш., Рачинский А.А.. Арал—наша общая забота. Известия Академии наук СССР: Серия географическая, 1991, (4): 113 ~ 117

[68] Селяметов М. М. и др.. Экологические проблемы дельты Амударьи. Гидротехническое строительство, 1992(3): 6 ~ 8

[69] 杨恕, 田宝. 中亚地区生态环境问题述评. 东欧中亚研究, 2002(5)

[70] 阿卜杜拉伊夫著. 李季川译. 大规模灌溉对饮水水质的影响. 水

利水电快报，2003，24（4）：8～9

[71] 蒲开夫. 中亚五国发展面临的若干难题. 东欧中亚研究, 1998 (3)

[72] Программа конкретных действий по улучшению экологической и социально-экономической обстановки в бассейне Аральского моря на период 2003 ～ 2010 гг. http://www.eco-portal. kz/ modules. php? name

[73] 中亚合作组织会议呼吁全球关注咸海流域生态保护. http：//www. Yellowrvirer.gov.cn/2002-10-08

[74] Основные положения концепции сохранения и восстановления аральского моря, нормолизации экологической, санитарно-гигиенической, медико-биологической и социально-экономической ситуации в приаралье. Известия Академии наук СССР: Серия географическая, 1991 (4): 8～21

[75] Курочкина Л. Я., Вухрер В.В. и др.. Состояние растительности осушенного дна и побережья аральского моря. Известия Академии наук СССР: Серия географическая, 1991 (4): 76～81

[76] 中亚咸海流域白蚁成灾, 受害面积高达 73.8 万 hm^2. http： //www.waterinfo.net.cn/ 2002-06-01

[77] Т оняев В.И.. География внутренние водные пути СССР. Москва: Транспорт. 1984

[78] Эльпинер Л. И., Делицын В. М.. Медико-биологические аспекты аральской катастрофы. Известия Академии наук СССР: Серия географическая, 1991 (4): 103～112

[79] Антонов В.И. Главное в преодолении аральского кризиса—устранить его причины. Мелиорация и водное хозяйство, 2000 (1): 36～39

[80] 刘冰, 孙磊. 拯救咸海行动塔什干宣言. http：//www.waterinfo.net. cn/2003-12-17

[81] Ахмедов Т. Х, Спицын. Л В.. О восстановлении Аральского моря, Гидротехническое строительство, 1991 (11): 31～33

[82] 陈志恺. 人口、经济和水资源的关系. http：//www.waterinfo.

net.cn/2003-06-10

[83] Материалы координационного совещания по проблеме Аральского моря. Усыхание Аральского моря и опустынивание в Приаралье. АН КазССР СОПС.1977

[84] Алтунин В.С.. Сохранение и восстановление Аральского моря — неотложная задаяа народного хозяйства. Гидротехническое строительство，1989(2)：11~16

[85] 马元斑摘译. 咸海流域大坝安全研究. 水利水电快报，2002，21(8)：31

[86] UNESCO. VII Описание возможных вариантов будущего. http：//www. aralvision.unesco. kz/ch_7_r.htm

[87] 俄罗斯拟为中亚地区"旱中送水". http：//www.waterinfo.net.cn/ 2002-12-21

[88] Некоторые материалы о переброске части стока сибирских рек в Среднюю Азию. http：//www.arbuz.uz/почему Арбуз

[89] ОБ участии президента республики казахстан Н.А. назарбаева в церемонии открытия начала реализации проекта «регулирование русла реки сырдарьи и северной части аральского моря» пресс-релиз мквк № 11 (22), апрель 2003 г

[90] Алтыев Т. А.. Организационнная структура управления водными ресурсами Аральского моря. Мелиорация и водное хозяйство，2000 (1)：36~39

[91] 哈萨克斯坦总统直属战略研究所. 中亚地区水利资源利用问题. http：//www.zy.gov.cn/ 2002-06-20

[92] Аверина Л. А.，Сорокин А. Г.. Водно-энергетичесий консцорциум：возможности создания и механизм работы. Мелиорация и водное хозяйство，2002 (1)：64~65

[93] UNESCO. I. Введение. http：//www.aralvision.unesco. kz/ch_1_r.htm

[94] UNESCO. IX. the vision for 2025. http：//www.aralvision. unesco. kz/ch_9_r.htm

[95] UNESCO. X.. Обсуждение мер и действий，необходимых для

реализации будущего видения. http：//www.aralvision.unesco.kz/ch_x_r.htm

[96] 吕国平. 西部大开发应注意的问题和对策建议. http：//www.search.mlr.gov.cn.

[97] 王浩，陈敏建，秦大庸. 西北地区水资源合理配置和承载能力研究. 郑州：黄河水利出版社，2003

[98] 张学峰. 西北地区水资源与生态环境现状及其对策. http：//www.waterinfo.net.cn/topic

[99] 王根绪，程国栋，徐中民. 中国西北干旱区水资源利用及其生态环境问题. http：//www.usc.cuhk.edu.hk/wk_wzdetails.asp?id=2952.

[100] 水利部水资源司. 强化管理 促进发展——《西北地区水资源开发利用规划》简介. http：//www.waterinfo.net.cn/

[101] 张宗祜，卢耀如. 中国西部地区水资源开发利用. 北京：中国水利水电出版社，2002

[102] 杨恕，韩艳梅. 对河西水资源可持续利用的几点看法. 兰州大学学报(社科版)，2000，No 03，5~12

[103] 洛桑灵，智多杰. 有效保护和科学配置河西内陆河流域水资源，保持社会经济的可持续发展. http：//www.waterinfo.net.cn/2004-01-07

[104] 塔河流域概况. http：//www.cws.net.cn/

[105] 李净云. 从应急走向长远——塔里木河流域生态治理带来的思考. 中国水利报，2004

[106] 袁国林. 我对生态建设及水资源问题的基本看法. 中国水情分析研究报告，2000，No.13